釈迦が語る宇宙の始まり

小宮光二
Koji Komiya

Clover
クローバー出版

序文

誰にでも、ものすごい本に出会ったと思える経験が人生で何度かあると思いますが、私にとって、本書もそのうちの一つであり、私自身が真理の探究を続ける中で出会った最高にして究極の答えを与えてくれたといえる、ものすごいという言葉だけではまったく足りないくらいの本です。

本書は、

「宇宙はどうして始まったのか?」

「私たちはどこから来てどこへ行くのか?」

「本当の自分とは何か?」

「解脱《げだつ》とは、悟りとは何か?」

「神とは何か?」

「愛とは何か?」

という究極の問いに明確に答えを与えてくれる、最高の真理を解き明かしてくれる本なのです。

これらの疑問は、私たち人類の誰もが根底に共通してもっている疑問ともいえるものではないでしょうか?

私たちが求めてやまない宇宙の秘密、生命の秘密のすべてがここにあるといっても過言ではありません。

これを日本語で読むことができるということに感動さえ覚えます。

私自身、これまで、「自分とはすべてである」「すべてであるからこそ、自分自身の意識が現実を創造する」ということを著書を通じてお伝えしてきましたが、この本は、さらに、その、すべてとは何か? すべてである自分がどうして人間の形をとってこの世界に生まれ、何のために生きているのか? そして、自分というのはこの宇宙さえも内包するものなのだということまで教えてくれます。

私たちの真の姿とは何か、そしてさらには神とは何かが、今、本書によって解き明かされようとしているのです。

私たちの真の姿とはこの宇宙すべてであり、そしてすべてとは真空であり、形も何もないものであるということ、そして、すべてであり真空である私が、自分自身とは何かを知るため、そして知ったなら伝えていくために、人間という形をとって生まれてきたということが、本書ではわかりやすく述べられています。

そしてその真空とは、仏教でいうところの空《くう》であり、そしてそれは、二五〇〇年前からお釈迦様《しゃかさま》が伝えてきた「色即是空《しきそくぜくう》」という真理中の真理です。

本書は、色即是空とはどういうことなのかを理解し、完全に腑《ふ》に落ちるために、まず読むべき本です。

あなたを真の目覚め、そして解脱《げだつ》へと導く本であると確信をもっていえます。

さらに本書は、アインシュタイン、スティーヴン・ホーキングなど、地球を代表する物理学者たちが真理に迫っていくさまを丁寧に追い、真空である私たちの真の姿を科学的な視点からも説明することにより、このことが本当のことなのだと、誰をも納得させる説得力をもって語りかけてきます。

そして科学者たちが追求してきた宇宙の真の姿、それはお釈迦様が説いた色即是空とまったく一致するのです。

まさに今、科学が真理を解き明かそうと、科学が真理と融合しようとしている時代に私たちは生きています。

科学者たちが解き明かしてきたことは、私たちにこれまで考えてもみなかったような視点を与えてくれ、そしてそれが、目に見えている世界、私たちが実在だと思っている世界は実は虚像であるという真の姿を見せてくれるのです。

そして、世界の本当の姿、そして真の自分を知ることこそが、この三次元世界のすべての苦しみや悩み事から解放されるたった一つの方法なのです。


二〇二〇年に始まった新型コロナウイルス感染症のパンデミックを経て、時代が大きく変わろうとしており、これまでと同じではいられないのだ、ということを直感として感じ取っている人も多いでしょう。

これまでは、資本主義をベースとした、物質やお金にもっとも価値をおいた世界の中で私たちは生きてきました。

しかしまさに今、資本主義を脱し、真理を求める生き方への変革期であるといえるのです。物質的な豊かさから精神的な豊かさへ、目に見えるものから見えないものへ、外側から内側へと、人々の意識が向いていく大きな流れの中に私たちはいます。

本書が最初に出版された二〇〇九年当時は、リーマンショックがあったとはいえ、まだ、時代の変革、資本主義の終焉《しゅうえん》を感じ取っていた人は少なかったと思います。

しかし今、本当に時代が変わろうとしていることを理解している人は多いでしょう。本書は、そんな今の時代にもっとも必要な本なのです。

そしてさらに本書は、その大きな変革を経て、来《きた》るべき「宇宙時代」がどういうものかを垣間見《かいまみ》せてくれます。

人々が宇宙の真の姿を理解し、無数に存在する並行宇宙へと自由に行き来する時代になれば、誰もこの地球の土地や物質に執着《しゅうちゃく》することはなくなり、そして本当に資本主義が終焉を迎えます。

そのような宇宙時代であり精神の時代、そんな資本主義の次に来る世界についても、本書でははっきり語られているのです。

本書を手に取ってくださった方の中には、これまで精神的な探究を続けてきたという方も多いでしょう。

本書に出会ったあなたは、過去世も含めこれまでの学びの積み重ねが熟した状態であるといえます。そうでなければ、出会えない本なのです。

本書は、その精神的な探究が最終的に行き着くところについて述べられており、最高の境地、最高の次元へと導いてくれるものです。

本書を読み終える時、これまでとはまったく違う世界観をもって、まさに夢から覚めたようになる人もいるかもしれません。

すべてを思い出す準備、すべてを知る準備は整いました。

これから真実の扉を開け、究極の真実の世界へ旅立ちましょう。

Amy Okudaira　奥平 亜美衣

はじめに

我々は今、資本主義の世界に生きていると思っています。しかし、それは大きな間違いで、もともと資本主義は量子力学でできています。

量子力学は自然科学のあらゆる領域を網羅し、人間の生活はおろか、その思考の源、宇宙の始まりにまで科学のメスを入れています。そして、その根本的な考え方は「人間には未来を予測することは不可能である」ということです。

資本、投資、貯蓄、差別、階級などという発想はみな、我々人間がこの不確定性のもとに支配された存在ゆえにつくり出されました。

未来は誰にもわからないのです。

カール・マルクスは社会矛盾の原因は無知と貧困だと言いました。しかし、実際にはそうではなく、人間の知の限界からくる「未来がわからない」という、この不確定性こそが、この世界に無意味な競争と差別を生みだしている原因なのです。

そのため、個人個人がバラバラに自己の利益を追求します。そして、お金をもっているかもっていないかが勝者と敗者の分岐点という、この資本主義というシステムに行き着きました。

しかし、アルバート・アインシュタインはこの量子力学の、いえ、人間の知性の限界からくる「世界の未来は不確定」という考え方そのものを公然と否定します。彼は言いました。

「それでは人間の存在とは宇宙にたまたま生まれたもので、個人が勝手気ままに終わることなく自分の欲望を追求するだけの存在になってしまうではないか」

そして当時、量子力学を代表するニールス・ボーアと大衆の目の前で激論さえしています。

アインシュタインは、こう主張しました。

「神はサイコロ遊びなどをしない。本来、宇宙は調和に満ちている。その根底には確かな一つの意志があって生きとし生けるものとは、みなその意志を理解するために生まれてきているのだ。人類の未来は、すべてそこに向かっている。

ただ、現代科学ではそれがまだ発見されていないだけなのだ。それが発見されれば、この宇宙の存在の意味がわかり、そのもとに平和で平等な社会が必ず実現できる」

アインシュタインが、その人生のすべてをかけて目指したものとは、「この宇宙の一切の動きを司《つかさど》る統一場理論を発見すること」でした。彼に言わせれば、物理学も哲学も宗教も数学も政治も経済も、人間のつくりえたすべての学問は等しく、宇宙の一切を貫き人間に生命と知識を与えているこの万物の意志、「神の心」を発見するためにあるのだというのです。

その後、スティーヴン・ホーキングやリサ・ランドールといった人たちの代になり、この量子論と相対論の対決は、すでに過去のものとなりました。

現代科学はすでに「ビッグバンが起こる前の真空の中になぜ私たちの宇宙が生み出されたのか。そして宇宙はこれからどうなっていくのか」という段階にまできてしまいました。

そして、この量子論と相対論を超えた新しい理論を構築すべく日々研究しているというわけです。そしてそれは、まさしく九〇年前にアインシュタインが主張した「神の心」を発見する努力に違いありません。それは同時に人々を苦しめ続けるこの資本主義という仕組みから人類を解放するための作業でもあるのです。

果たしてそれが発見された世界とはいかなるものになるのか。しかし、人類はすでにアインシュタインが予言した、この「神の心を見つける旅」のゴール直前に、その歩みを進めているのです。

著者

釈迦が語る宇宙の始まり

目次

プロローグ

第1部　神の心を見つける旅

第2部 アインシュタインの起こした人類革命

第3部 量子論 四人衆

第4部 人類が辿り着いた神の姿と宇宙創世モデル

第5部 真空がもつ様々な性質

真空の性質

第6部 お釈迦様の語る宇宙像

第7部 新しい世界、新しい科学、新しい宇宙像

本書は『精神革命――資本主義の次に来る世界』（ピースオブライフ出版）２００９年10月刊を増補改訂をほどこし、新版としたものです。

プロローグ

量子の中に存在する人間世界

私たちは今、宇宙という一つの空間の中に生き、そして地球という惑星の上で生活していると思っています。同じ一つの時間の流れを共有しながら友達や両親や他の人たちと暮らしている、こう思っています。

しかし、これは実は大きな間違いで今から九〇年前、アインシュタインは、

「人間はみな同じ空間の中にいるように見えてはいるが別々の時間を生きている。

そして重力によって、この宇宙は歪《ゆが》み穴だらけ、おまけに我々の空間は膨張し続け、その果てには何もない」

こんなとんでもない現実を発見し、世界を驚かせました。

さらに量子力学は、「ビッグバンが起こる前には無があった。しかし、この無は何もないという無ではなく逆にあらゆるものが集まった無限の創造世界の集合体である」ということまでも明らかにしてしまったのです。

そしてさらに我々の世界とは、この宇宙が始まる前の無の中の無数の量子の中の一つに

すぎない。つまり、あなたも私もこの宇宙の始まる前に存在する無の中にある無限の量子の中の一部だったというわけです。

現代科学は、すでにこんなところにまで人間の知性を辿《たど》り着かせてしまいました。これが紛れもなく現在人類が解明した最先端の宇宙像であり、それは我々人間一人ひとりの本当の姿ということになります。

そして近年、人工的にこの宇宙の始まる前の真空をつくり、その中から何が出てくるかを試す研究さえ世界各国で進められているのです。

いったい、人類はどこまで行ってしまうのか。この先、科学の辿り着く果てには果たして何が待っているのでしょう。

しかし二〇世紀初頭、この人類の驚くべき科学の方向性を的確に予言していた人物がいます。言うまでもなく、その人の名はアルバート・アインシュタイン。彼は一世紀近い昔、これから先、人類が到達する新しい世界の姿をすでにその脳裏に描いていたのです。

アインシュタイン四つの予言

そのアインシュタインは生前、四つの未来予言をしています。

驚くべきことに、この四つの予言を辿っていくと二〇世紀から二一世紀、そして二二世紀にかけてこの世界にいかなる進化の道が開かれているかを的確に見通すことができるのです。

四つの予言、そのうちの一つ目はすでに成就《じょうじゅ》し、二〇世紀の世界像を見事に構築しています。

その第一の予言とは、いわずと知れた「物質とはエネルギーである」という方程式。

$E=mc^2$（エネルギーの値とは、重さ×光速度の二乗）です。

この方程式は、物質とはもともと形にならない無限のエネルギーであることを解き明かしています。

この公式によって物質の原子核に外から刺激を加えることで無限の連鎖反応が起こせることが判明し、空前絶後の大量破壊兵器、原子爆弾が生まれ、二〇世紀の世界を形作りました。これがアインシュタインの第一の未来予言です。

第二の予言は、宇宙は膨張しているというもの。

この現実を発見した時、発見したアインシュタイン自身がこの事実を信じられず自ら公式を書き換えてしまいます。

逆に別の人物によって、後にこの真実が立証され、アインシュタイン自身が訂正したというエピソードさえある、当時では考えられない宇宙の真実の姿でした。

この理論が後にスティーヴン・ホーキングをはじめとした次世代の学者たちによって研究され、人類を宇宙誕生以前の無の世界へといざなうことになります。

そして現在、量子論では「宇宙誕生前の無とは何もない状態ではなく、逆にあらゆるものが集まった無限の状態である」という驚異的な発見に至ります。この私たちの住む宇宙空間も、この無の中にある無限の宇宙の一つだというのです。

第三の予言は、量子テレポーテーション。

これは一九三五年、不確定性原理を主張する量子力学者たちを紛糾するために発表された理論から生まれました。

アルバート・アインシュタイン

この時のアインシュタインの理論が研究され、現在、量子と量子との間で瞬時に情報が伝わる量子テレポーテーションの研究へと発展したわけです。

なんとこの理論は宇宙誕生以前の無の世界の中にある無限の平行世界を将来、人間が自由に行き交う世界が来ることを示唆《しさ》しています。そして、この量子テレポーテーションの研究は、日本がその最先端を走っているのです。

まるでSFのような話ですが、すでに人類は現在、この宇宙を超えて、別の宇宙とのコンタクトを始めています。素粒子加速器を使い、人工的に真空の状態をつくり、別の世界から電子を取り出す実験に成功しているのです。そして、この世のものではない電子を使って、こちらの世界で水素原子をつくるということまで成功しています。この世のものではない電子ということは、あの世から来たものなのでしょうか。

第四の予言は次項に記します。

理想世界の実現

アインシュタインの三つの未来予言を現代的視点からわかりやすくいうと、次のようになります。

1　宇宙とは、実際には物質ではなく一つのエネルギーである。
2　ビッグバンの前には真空があり、それは無限の宇宙の集合体である。
3　将来人間は平行世界を自由に行き交うことができるようになる。

二二世紀までに量子テレポーテーションは実用化し、人間はこの宇宙にある別の世界と自由に行き交うことができるであろう。こう断言する学者も少なからずいます。果たして人間は、その時どんな社会をこの地球の上につくりあげているのでしょうか。

これまで人間は、一つの時空の中にある地球という惑星の上の領土と資源の奪い合いに終始してきました。

これは人間が物質であるという考え方がもとになっています。そして未来はどうなるのかわからないという刹那的《せつなてき》な考え方から、この地上の物質的利益を追求する資本主義が生まれました。他人を差別し、財を奪い合い、自己の権力を少しでも長く維持したいというものです。

しかし、二〇世紀がそうであったように、二一世紀、そして二二世紀に向けてアインシュタインの予言の通りの未来が現実のものとなったらどうなるでしょう。

彼は第四の予言によってこう語ります。

「やがて人類によって神の心が理解され、宇宙の起源と人間が生まれてくる目的が解き明かされる。その時、人々の未来に対する恐れは消え、平和と平等の世界がやってくるであろう」

もしかするとそれは人類が始まった時から、いえ、この宇宙が生まれた時から始まっていた一つのプランであったのかもしれません。我々人類は知らず知らずのうちにこのアインシュタインが予言する通りの道を辿り、「神の心を見つける旅」すなわち自分の本当の姿をただ探求していただけというわけです。

この本では、まず人類の二五〇〇年の知の歩みを辿っていきます。そうすることによって、後半で語られる神の姿と性質、そして最後に明らかにされるアインシュタインをはじめとしたすべての生命が辿り着くべき「神の心」の理解が安易になるからです。

それでは「神の心を見つける旅」の船を、そろそろ出航させることにします。

第1部

神の心を見つける旅

神を探求する旅人たち

現在、我々が営む文明の発祥とともに、やはりその時代その時代を代表する探求者が存在し、外に見える世界に対し当時の観測技術をめいっぱい使って自分たちの住んでいるこの地球、宇宙、そして自分とは何かについて、様々に考察しました。そんな先人の知恵を土台にし、現在に至るわけです。

この本の前半は、その代表的な賢人たちの足跡を追って、存在とは何か、私たちの宇宙とはどのようになっているか、その時々で人類がどのような世界像のもとに生きていたのかを検証することにページを割いています。さて、あなたはどの探求者のレベルまでついてこられるでしょうか。

《神を探求した旅人たち》
○アリストテレス
○クラウディオス・プトレマイオス

○ジョルダーノ・ブルーノ
○ガリレオ・ガリレイ
○アイザック・ニュートン
○マックス・プランク
○アルバート・アインシュタイン
○ニールス・ボーア
○ウェルナー・ハイゼンベルク
○エルヴィン・シュレーディンガー
○ヒュー・エヴェレット
○スティーヴン・ホーキング
○アレキサンダー・ビレンケン
○リサ・ランドール

この人たちは、神を外に見える宇宙という形で探求し、言葉にした人たちです。

この旅人たちは、古くは哲学から始まって、観測技術の発展とともに、その視界を地球の外にまで向け、遠く離れた遥か彼方《かなた》の銀河、果ては宇宙の始まりであるビッグバンポイントにまで、我々人類の視点を導いてくれました。

そして今、この時空における時間と空間の始まる前の世界は果たしてどうなっているのか。さらには、なぜこの宇宙自体が始まり、現在どのようになっているのか。

我々人類全体を、そんな遥かないただきにまで引っ張り上げてくれた案内人でもあるのです。

宇宙論の始まり～アリストテレスからガリレオ～

紀元前三四〇年といいますから、ほぼお釈迦様と同時代の人と考えてもいいのではないでしょうか。アリストテレス（前三八四～前三二二年）はエーゲ海北西の海辺のスタゲイロスというところで代々医者の家に生まれましたが、両親の死をきっかけとして生地を離れ、アテナイにあるプラトンの学園で、若き日々を勉学に没頭しました。

アレキサンダー大王の家庭教師も務めたとされるこの賢人・アリストテレスはプラトン

の弟子としても知られています。

この人は、多彩な才能をもった人として、当時のほとんどの学問の領域について語りました。その著書『天体論』では天動説、つまり地球の周りを宇宙の天体が回っているという説を唱え、これが宇宙論の始まりといわれています。

また、彼は地球は平らな板のようなものではなく、丸い球体ではないかという疑問を抱いていました。

彼はよく一人、砂浜に座って海を見つめていたといいます。そして船が岸に近づくにつれ、その帆先が水平線から現れ、やがて船の全体の形が見えてくるという単純な観察からこのひらめきを得ました。しかしアリストテレスの鋭い観察力をもってしても、当時の観測技術はこの程度のものでした。彼もほとんど例外ではなく、地球は宇宙の中心に静止していて、その周りを天体が巡っているのだと考えていました。

そして二世紀にプトレマイオスが現われて、『アルマゲスト』という数学と天文学の専門書を記して、アリストテレスの唱えた天動説をより発展させました。

地球が球形で宇宙の中心にとまっていて、それを取り囲む四つの天体が地球の周囲を回っている。さらにそうした天体の軌道計算、惑星との距離や大きさといった数学的な知識を盛り込んだ天動説を確立させたのでした。

むろん、これは彼らの時代の技術的な限界に根ざしたものに違いありません。まだ、ほとんどの学問が哲学の一部であると思われていた時代でした。

それ以後、一三〇〇年以上にわたって、地球の周りを宇宙が回るというこの天動説は、教会のお墨付きとともに長くこの世界の常識となったのです。

この常識に、最初に風穴をあけたのがコペルニクスでした。一五一四年のことです。

しかし、彼は教会から異端の烙印《らくいん》を押されることを意図的に避けていました。この説は、ひっそりと周囲の人に話したにすぎません。そしてさらに約一世紀あと、カトリックの司祭であったジョルダーノ・ブルーノは地動説を唱えたために教会から追放され、最期は火あぶりにされました。

ブルーノの主張は「地球自体が回転している、宇宙は無限である、地球の外にも知的生命体がいる」というもので、聖書の教えを真っ向から否定するものでした。しかし彼は、異端とみなされても主張を枉《ま》げず、「私よりも、あなたがたのほうがおびえている」と審問官に言ったと伝えられています。

この人は殉教者といえるでしょう。この世界の絶対多数が信じ込んでいる間違いを正すことは、当時、それほど危険なことだったのです。誰も気がついていない真実に誰よりも早く気がつく、天才と呼ばれる人に常につきまとう、悲劇といえます。

そして有名なガリレオが現われます。実はガリレオの時代には、はじめて天体望遠鏡といえるものが発明され、彼はそれを使い毎晩熱心に夜空の観測を続けました。

一六〇九年、彼は月面のクレーターや山、木星の衛星などを発見し、太陽の黒点も観測しています。地動説を信じていたガリレオは、望遠鏡を用いた天体観測を通じて、その正しさを確信したのです。

しかし、ガリレオもまた、地動説をめぐる裁判に二度巻き込まれて有罪判決を受け、半軟禁状態で生涯を終えました。ローマ教皇庁がガリレオ裁判を誤りと認め、謝罪したのは、ガリレオが没して三五〇年後の一九九二年でした。

ニュートンの時代

一九〇五年は、アインシュタインの特殊相対性理論をはじめとした様々な新しい真理が誕生した奇跡の年と呼ばれていますが、アイザック・ニュートンがその著書『プリンキピア』を発表した一六八七年も、人類にとって忘れてはならない、奇跡の年に他なりません。

それどころか、彼ははじめて、この自然世界を数学であらわすという快挙を成し遂げた人でもあるのです。

「果てしなく広がる天空、整然と散りばめられた星は規則正しく回る。世界を包み込む惑星銀河。この宇宙を動かす力とは、いったい何だろう。それはまさに神の御業《みわざ》だ。その御《み》心《こころ》を知る深遠な叡智《えいち》に私は少しでも近づいてみたい」

ニュートンは知れば知るほど、この大宇宙の偉大さに常に敬意を感じ、終生こう念じていました。ニュートンはこうした哲学的な思いをはじめて数学を使ってあらわす法則や公式をいくつも発見しました。今も伝わる「運動の三法則」、さらに有名な「万有引力の法則」、はては惑星の動きを正確に計算する「微分積分」を発見したことでも知られています。

そして、自分で発明した微分積分を用いて、太陽の周りを回る惑星は完全な円ではなく、楕円を描いて回っているという事実を突き止め、その角度まで算出してみせたのでした。

彼の時代にはまだ、たいした観測機材は存在しませんでした。ニュートンが出現してこの世界を数学を用いて計算して以降、我々はニュートンが示した宇宙論をベースにして、今も日常的な生活を送っています。

まず、この世界、宇宙とは絶対的な空間であり、常に安定し、その中をすべての人が共有する絶対的時間の流れや物質が運動しているとニュートンは考えました。

ニュートンが取り組んだテーマは、はじめての科学的宇宙論といえるもので、この宇宙を法則と運動という見方で捉えた、最初のものといわれています。

彼は、今でこそ物理学者と分類されますが、当時はまだそういう分野が存在せず、「自然哲学者」と呼ばれていました。

そういう意味で、彼がこの時発見した宇宙の法則は、古典物理学に分類されます。その代表的な考え方をここで紹介します。このあたりが理解できないと後に登場するアインシュタインやホーキング、さらにはお釈迦様の宇宙観の凄さといったものを理解できません。このあたりはゆっくり読んでください。

はじめにニュートンが唱えた説でもっとも有名な運動の三法則。その第一法則は、「慣性の法則」と呼ばれ、これは、静止または一様の直線運動をする物体は、外からの力が作用しない限り、その状態を維持するというものです。つまり、単純に置かれている物体をあらわしています。

第二法則は、ニュートンの「運動方程式」と呼ばれるもので、運動量の時間的な変化は力の作用に比例し、その力が加えられた方向に起こるというものです。

第三法則は、「作用・反作用の法則」と呼ばれています。二つの物体が作用しあう力の大きさは等しく、向きが反対であるというものです。

一見、現代では当たり前のように思われているこの考え方も、ニュートンの時代になってはじめて社会の常識となったものでした。要は、この宇宙とは一つの空間であり、その中に物質が存在し、それに外部から力がかかると動き出すということなのです。

ここまで理解するのに人類は二〇〇〇年以上の年月を要しました。この三つの法則の定義は、それまで哲学、あるいは自然科学の一部と思われていました。

これは「この世界にある物質と力の関係を法則という公式に置き換える先駆けとなった発見」であり、それ以降の物理学という領域の始まりといえる考え方なのです。

そしてもう一つ、ニュートンはもっとも有名な万有引力、つまり重力を発見します。

有名なリンゴの話に代表される、地球の引力が作用して物体が地面に落ちる原理のことです。これは、彼以前には誰も気がつくことのない大発見でした。リンゴが木から落ちるのではなく、地球が物質を引っ張る力によって、物が地面に吸いつけられているという真実を発見したのです。要は、あなたが食べ過ぎると体が重くなるのではなく、地球に引っ張られる力が強くなっているということです。

そして彼はこの法則から、地球上でリンゴが木から落ちる現象と、巨大な太陽系の惑星たちの運行が同じ力に由来するという、人類史上空前の真実を発見したのでした。そしてこの時、ニュートンが発見した、なぜ惑星にはものを引っ張る力があるのか「重力とは何か」、いったいそれはどこからくるのか。そして物質を構成している「光とは何か」という問いは、二一世紀の今日に至っても未だ解き明かすことのできないテーマでもあるのです。

重力および光に関する問題に対しては、後にアインシュタイン、ホーキングといった大天才たちが立ち向かうことになります。そして、その土台にはニュートンのこの大発見があったことはいうまでもありません。

「光とは何か、波か粒か」「重力とは何か」という問題は、ニュートンの時代にすでに大きな論争になっていました。そして後の時代、それを解き明かしたのはいったい誰なのでしょう。

さあ、船はこの先どこに進んでいくのでしょう。次の漕《こ》ぎ手は、あのアインシュタインです。

第1部のまとめ

●**宇宙論の歩み**……二五〇〇年前の「地球は丸い」という発見からビッグバンの起こる前の真空とは何かまでが、この本では宇宙論の歩みの基礎として扱われています。そしてそこから先がこの本のメインテーマ、次世代の新しい宇宙観「真空の科学」の話になります。

●**アリストテレス**……地球は丸い。

●**プトレマイオス**……天動説。地球が宇宙の中心にあり、宇宙がその周りを回っているという考え方。

●**ジョルダーノ・ブルーノ**……地球自体が回転している。宇宙は無限である、地球の外にも知的生命がいます。

●**コペルニクス**……地動説。地球は太陽の周りを回る惑星の一つであり、宇宙の中心ではないという考え方。

●**ガリレオ・ガリレイ**……地動説をピサの斜塔で実験。天体望遠鏡を活用し月面のクレーターや太陽の黒点などを発見。現代物理学の先駆者。アインシュタイン、ニュートンと並ぶ三大物理学者。

●**アイザック・ニュートン**……運動の三法則。重力を発見。微分積分を発見し、太陽の周りを回る惑星の角度も正確に割り出す。地球の上で見られる小さな重力が全宇宙を成り立たせているという偉大な発見をしたことで有名。彼の発見や考え方が後の産業革命に巨大な影響を与えました。

プトレマイオス

アリストテレス

ジョルダーノ・ブルーノ

コペルニクス

ニュートン

ガリレオ

第2部

アインシュタインの起こした人類革命

光とは粒である

一九〇〇年、つまり一九世紀の最後の年、年の瀬も迫った一二月一四日のことでした。奇《く》しくもドイツ人、物理学者プランクは「エネルギー不連続の法則」（エネルギー量子仮説）理論を発表したのです。光のエネルギーはひろがりではなく、飛び飛びの粒子、粒であると考えたのでした。つまり、光はもとから空間に広がり満ちているものではなく、たんに小さな塊《かたまり》として動いている、彼はそう主張したのでした。

「光とは粒である」

この発見こそ、その後の人類の歴史に大きな革命をもたらす発見のもとになる大発見でした。アインシュタインはこの考えをもとに、「光は粒であり、そして光はこの宇宙空間のどこであっても同じ速さ、つまり秒速三〇万キロメートルで動いている」という、相対性理論の基幹となる理論に行き着きました。

この考え方はアインシュタインのみならず、ボーア、ハイゼンベルク、シュレーディンガー、そしてエヴェレットが発展させた二〇世紀最大の科学、量子論の基本的概念でもあるのです。

その始まりは、プランクのこの一言、「光とは粒である」だったのです。この日が相対性理論のベースとなった考え方、そして量子論誕生の日にもなったのでした。

アルバート・アインシュタインの生い立ち

現在、人類史における天才を一人あげてみようとすると、大抵はアルバート・アインシュタインという名前が出てくると思います。

個性的なルックスと考え方、そして気さくな人柄を物語るエピソードの数々は、今なお我々を魅了してやみません。

アインシュタインが生きた時代とは、ニュートンによって解き明かされた理論を土台として、宇宙を統一的に語れる新しい最終理論が間もなく生まれるのではないかという、そんな予感が世界のアカデミズムに流れていた時代でした。

アインシュタインの大発見は、その若き日の日常からも窺い知ることができます。ですから、彼についてはその生い立ちから話を進めることにしましょう。

アインシュタインは一八七九年、ドイツの田舎町、ウルム市にて誕生しました。その翌年、一家はミュンヘンに引っ越します。

幼少期のアインシュタインは言葉の発達が遅い子どもでした。

五歳のある日、父親のヘルマンはアインシュタインに方位磁石を与えました。アインシュタインは五歳にして、「なぜ磁気が空間の中を伝わり、磁石の針を北という一定方向に固定するのか」ということに疑問をもち、大自然の背後にある見えない力に対し、大変な興味を示したといわれています。

幼いアインシュタインは、その晩は磁気という見えない力のことを一晩中考え続けたそうです。父のヘルマンは当時、弟のヤーコブとともに、電気化学工場を起こしていました。そのような環境のお陰で、アインシュタインの周りには、当時の科学に触れる機会が数多く用意されていたのです。

磁石に興味をもちだして、程なくアインシュタインは叔父のヤーコブから幾何学《きかがく》を教わるようになります。彼はたちまち幾何学に夢中になりました。

一二歳になると、彼の家に出入りする医学生が、一見なまいき盛りの少年アインシュタインに対し、ポピュラーサイエンスの本を貸してくれるようになりました。

アインシュタインはこのサイエンスの本に夢中になったといいます。幾何学や哲学の本を与えてみると、アインシュタインはみるみるうちにそれを吸収し、とてつもない深い知識を自分のものとし、複雑な概念や現象を把握する力を養っていきました。そして、このことによって現象の根底にある原理を探し出す習慣が身についていったのです。

とくにこの時期、居候の医学生がアインシュタインに冗談半分で読ませたカントの哲学書がアインシュタインのお気に入りとなりました。

カント哲学の中に含まれる、森羅万象《しんらばんしょう》を哲学的体系において説明する手法や、人間の頭脳が本来もつ繊細さや緻密《ちみつ》さ、理解することすら難しい概念、あるいは一般の人ではとても気がつくことさえできない自然の法則や矛盾点にまでアインシュタインの知性は及び、周りの大人が閉口してしまう

アインシュタイン５歳の頃

ことも度々ありました。

人間の心はなんと偉大なのだろう。
人間の意識とはなんと素晴らしいものであろうか。
こんな宇宙全体を説明できる体系をつくり上げることができるのだ。

少年アインシュタインの心にそんな確信が芽生えはじめたのはこの頃でした。

若き日のアインシュタイン

アインシュタインが一五歳の時、父が事業に失敗して、一家はミラノへ移ることになりました。しかし、大学に進学するためにはギムナジウムという八年制の学校を卒業する必要があったため、アインシュタインは一人ミュンヘンに残り、寄宿舎に入りました。

ギムナジウムの雰囲気は、アインシュタインにはまったく合いませんでした。数学と物理学では抜群の好成績を修めたものの、他の学科には興味がもてず、勉強もしませんでした。そのような態度は生意気で尊大であるとみなされ、挙句《あげく》の果てに神経衰弱を起こしてギムナジウムを退学する羽目になります。

チューリッヒのスイス連邦工科大学を受験した時は、成績が芳《かんば》しくありませんでしたが、数学と物理学でずば抜けた成績をとったことから、物理学のハインリッヒ・ウェーバー教授から、ギムナジウムを卒業した後、無試験での入学を許可されることになりました。

イタリアで入りなおしたギムナジウムは当時の軍国主義の時代には珍しく自由で過ごしやすく、彼はこの頃様々な自由な試作に没頭したといいます。そしてアインシュタインは卒業後、晴れて大学に入学を果たしました。

アインシュタインは大学生になってからほとんどの時間を読書に使い、当時最先端だった物理学の成果について読み漁《あさ》りました。そうすることによってバラバラだった科学の知識は彼の頭の中で統合され、一つの包括的な理論へ到達しようとしていました。

世界全体、万物を動かしている力、宇宙そのものを説明する理論、人類が求めてきたこの世界のすべてを言いあらわすことのできる体系がすぐそこに息づいている。もしかするとそれを発見し、この世界に披露することのできる栄光を担っているのは自分ではないだろうか……。

この時代は、多くの若者にそう思わせるような、知性の飛躍的な進歩が達成された時代でもあったのです。

ゆかいなアカデミー（アカデミーオリンピア）

アインシュタインはやがて大学の勉強では飽き足らず、優れた知性をもつ親しい三人の仲間とアカデミーをつくり、当時最先端だった物理や哲学の問題について、毎日のように語り合うようになります。アカデミーといっても早い話が哲学、物理学好きな四人が集まってのおしゃべりサークルです。

洒落《しゃれ》たオープンカフェにケーキと紅茶、そして紅茶にはハチミツを入れて、何時間も何時間も彼らは語り合いました。後にこの集まりは「ゆかいなアカデミー（アカデミーオリンピア）」と呼ばれることになります。

しかし、ここに集まった四人は誰もが当時最高の哲学や科学、そして最新の世界観について語る知識をもった若者たちでした。

アインシュタインはこの集まりで、自分の脳裏に浮かんだ様々な疑問や概念をあますところなく言葉にしたのです。このことが彼の頭脳の発達に大いに貢献したことはいうまでもありません。

当時の彼の友人たちは、たびたび飛び出すアインシュタインのとっぴな発想に、時には驚き、そして時には辟易《へきえき》しながらも、彼の才能が開花していくところを目《ま》の当たりにしたのです。

「分子の間に働く力、遠くへだたったものとの間に働く力、一見まったく関係のないように見える様々な現象の中にも、共通する何かが潜んでいるのではないだろうか。複雑な概念も、数式を解き明かしていけばごく簡単な一つの公式にできる。物事の本質はなんとも美しく単純な原理によってできているのではないか。

もしかすると自分の一生のうちで、この宇宙の一切をあらわすことのできる公式に、自分は出会えるのではないだろうか……」

この時期、アインシュタインは仲間たちに自分の考えを心置きなく語ることで、少しずつ世紀の大発見に近づいていったのでした。

アインシュタインの頭脳は、すでにニュートンがつくった体系ではおさまりきれない範囲のものになっていました。アインシュタインはニュートンのつくった絶対時間と絶対空間という理論を超え、この世をつくるたった一つの原理に行き着きます。その答えはこうでした。

この世界で、そのもとになるたった一つの原理、それは光の速さが一定であり、我々の目に映る時間や空間とは光のおりなす光彩にすぎない、というものでした。

アインシュタインは天体望遠鏡といった観測機器すら使わずに、誰もが想像したこともない、宇宙の現実に気がついてしまったのでした。

しかし人類の歴史上において、後に類まれな天才として一世を風靡《ふうび》するアインシュタインという人物は、こうした崇高な神の原理を自由自在に明かしていったのですが、この時期、大学を卒業しても貧困に悩み、職を得ることもなかなかできないありさまでした。

しかし、友人の父親の紹介でなんとかスイスの特許局に就職した彼は、このアカデミーのメンバーの一人でもあったミレーバ・マリッチという女性と結婚し長男をもうけ、私生活が次第に安定していったのです。

光の速さは秒速三〇万キロメートル

光は粒である。

アインシュタインは、目に見えるこの世界において絶対的なものは光の速さだけであって、時間や空間すら光の錯覚であるということに気がつきます。

今でこそ当たり前と考えられている、真空中の光の速さは光源の運動状態に影響されない一定値であることをあらわす「光速度不変の原理」とは、アインシュタインの直感と途方もない想像力から生まれた産物でした。

そして、ガリレオ考案の「相対性」という考え方を

アインシュタイン
妻、ミレーバとともに—1905年

使って、見事に光の性質を証明したものが特殊相対性理論というわけです。

ニュートンの時代から、「光とは何か」ということが常に論じられてきました。光とは「粒」か、それとも、普遍的に空間に広がる波か。その答えはマックス・プランクによって「粒」と断定されたのでした。

二〇世紀以後の科学は、このマックス・プランクの「粒」説によって多くの法則を発見するに至ります。プランクについて、ここで簡単に触れておきましょう。

一八五八年にドイツ北部のキールで生を享《う》けたプランクは、長じて熱力学に傾倒していきます。

そして、一九〇〇年、本章の冒頭で述べた、「エネルギー不連続の法則」という理論を発表しました。「光とは粒である」というこの考え方こそが、後の量子論の基礎となったのです。そのため、プランクは「量子論の父」とも呼ばれています。

つまりプランクとは現代科学の扉を開いた人といえます。また、この業績によって一九一八年にノーベル物理学賞を受賞しました。

アインシュタインにも多大な影響を与えた、プランクによる光の「粒」説という考え方では、ものの存在を言いあらわすには、最初に場所と時間、つまり空間内の位置と時刻が必要である、というところから始まります。

空間と位置と時間がなければ、なにものも存在することはできません。そしてこの空間と位置と時間とは究極的にはまったく同じものであり、空間があって時間がない、あるいは時間があって空間がないといった現実は存在しないのです。

あなたを含めたこの宇宙という一つの映像には、まずあなたが視点を置く場所があり、そして物質世界としての空間的広がりがあり、それを認識する時間が流れていなくては自分という存在そのものが成り立ちません。

つまり時間と空間、そして物質とは同一のものであり、ここから「時空」という言葉が生まれたのでした。

光は、この真空の中を、常に秒速三〇万キロメートルという速さで移動し、この時空を形作っているのです。

アインシュタインは、この「光速度不変の原理」と「相対性」という二つの理論を使って、後に多くの人たちが「突拍子もない」と考えた理論を次々とこの世界に発表することになるのです。

奇跡の一九〇五年

一九〇五年六月、アインシュタインは特殊相対性理論を世に発表しました。それどころか、アインシュタインはこの年、なんと合計四つの新理論を発表し、この世界の現実認識そのものを変えてしまいました。

1 光は粒である（光電効果）
2 分子の存在の証明（ブラウン運動）
3 分子の大きさの決定（ブラウン運動）
4 特殊相対性理論

「光量子仮説」「特殊相対性理論」「ブラウン運動」といった、おおまかに分類して三つの分野で立て続けに論文を発表したアインシュタインは、まだ二六歳の青年でした。年若い特許局勤めの名もない青年・アインシュタインにとって実り多い年となった一九〇五年は、「奇跡の年」として後に世界中の人々に知られています。

ちなみに、その一〇〇年後の二〇〇五年は、アインシュタインの業績を記念して、国連が世界物理年に設定しました。イギリスではアインシュタイン・イヤーと呼ばれるなど、各地で記念行事がおこなわれました。

この年にアインシュタインが発表した新しい論文の数々が、アインシュタインのみならず、その後の人類の歴史を変えたことはいうまでもありません。

特殊相対性理論

なかでも特殊相対性理論は、いまだに宇宙の多くの新しい現実を生み出し続けている考え方です。

この理論は、真空中の光の速さは、光源の運動状態に影響されない一定値であるという「光速度不変の原理」と、等速度で運動しているあらゆる慣性系において、物理学の基本的な法則は同等であるとする「特殊相対性原理」の二つの考え方を核とするものです。

例えば、特殊相対性理論を使うと、移動している乗物の中と外、すなわち乗物に乗っている人と、乗物の外にいて静止している状態でその乗物を見ている人との時間の経過の速さはまったく違うというものです。

乗物を電車であると仮定して考えてみましょう。走行している電車の車両のちょうど真ん中の位置で光が放たれたとします。その電車の中に観察者がいる場合、車両の真ん中の光源と、電車の前方と後方の壁は等距離であるため、その人にとっては当然、光が届く速度が同じになります。

一方、これを電車の外にいる観察者が見ていたらどうなるのでしょうか。

電車は、右方向に同じ速度で走行しているものとします。車両の真ん中から放たれた光源は、同じ速度で前方、後方の壁に進んでいきます。しかし、電車は右方向に進んでいるので、前方の壁はそちらに向かう光から逃げていくことになります。後方の壁は右方向に進むため、後ろへと向かう光に向かってくることになります。

つまり、外にいる観察者にとって、後ろ、すなわち左方向へ向かう光のほうが、進行方向に向かう光よりも速く壁に到達することになるのです。ある場所において起こった二つの出来事は、電車内の観察者にとっては同時刻ですが、電車外の観察者にとってはそうではないのです。

このことは、移動する電車の内と外では時間の進み方が異なることを説明しています。これが有名な電車の喩《たと》えで説明される特殊相対性理論です。

もう一つ、わかりやすい宇宙船の例をあげてみましょう。

宇宙船が加速や減速なしで、光速の九割の速度で航行しているとします。一年間観測すると仮定すれば、宇宙船内の時計は〇・四四年しか経過していないことになります。

ただし、光より速い物体は存在しませんし、光速の九割で航行する宇宙船そのものが現代科学ではつくれませんので、我々の世界でありうる設定を考えてみると、時速一〇〇〇キロメートルで飛行機が一〇〇〇時間フライトした場合、約一〇〇万分の一秒の時間が遅れます。このパイロットが、たとえ五〇年間フライトし続けたとしても、遅れる時間は〇・〇〇〇五秒以下に過ぎないのです。

ただし、この理論は「特殊」といわれるように、等速直線運動、すなわち「一定の速度の状態で運動をしている」という限定的な場合、文字通り特殊なケースに限ります。

特殊相対性理論を公式で表すと、エネルギー（E）は質量（m）と光速度（c）の二乗をかけたものとして、

$$E=mc^2$$

となります。後述しますが、これは、「質量とエネルギーの等価性」ともいわれます。エネルギーが発生する時には、それに対応する質量が消失することを示す、有名な関係式です。

我々は過去と暮らしている

もう一つ、時空と光速度不変の原理を使うと、一見信じられないような現実がわかります。それは、我々が過去とともに暮らしているということです。

例えば、地球上にいる私たちが見ている太陽とは、常に八分二〇秒前の太陽の姿なのです。どういうことかというと、太陽の姿が地球上にいる我々の目に届くまでには時差が生じているのです。

ですから、我々は常に、過去の太陽を目にしていることになります。距離があるものは、その姿が届くまでに時間が経っているわけです。ちなみに月は一・三秒前の姿です。

しかし、七分前の太陽も、六分前、四分前、三分前、二分前、一分前……の太陽も、その姿が地球に届くまでの間の太陽はすべて、この空間の中に同時に存在していることになります。言い換えれば、太陽は同じ空間の中に無限個数あるといえるでしょう。

そう考えると、一三八億年前に起こったとされる、宇宙の始まりの爆発であるビッグバンも、無限個数存在することになります。

それは、時間も空間も生み出される以前の真空の状態の中に、同時に存在することを意味します。さらに、一つの時空の中には、無限の数のあなたが存在しているということにもなるのです。

無限個の太陽、無限個のビッグバン、そして無限人のあなたです。

もう一つ、ここで大切なことがあります。

例えば、あなたが自分の姿を認識したとしましょう。自分の姿を認識するまでには、ほんのわずかですが、時間が経ってしまっているのです。

そうです。あなたが自分を自分として見た瞬間、その自分とはすでに過去の姿というわけです。

そう考えると、目に見える世界すべてが過去ということになります。

時空が生み出された後の世界とは、この宇宙が始まる以前の真空からとらえてみれば、すべてが過去ということになるのです。

つまり、本当のあなた自身をとらえることは誰にもできず、常に過去の残像のみ存在していることになるのです。そればかりか、突き詰めて考えてみると、本当のあなたとは形も何もない「無」そのものということになってしまうといえるかもしれません。

特殊相対性理論を現実に当てはめてみると、こんな不思議なことまでわかってきてしまうのです。

一般相対性理論へ

しかしアインシュタインが一九〇五年に発表した特殊相対性理論には、かつてニュートンが発見した万有引力、つまり重力が含まれていませんでした。そのため彼はいっそう努力し、重力も含んだ一般相対性理論の完成を目指します。

重力はなぜ、この宇宙に存在しているのか。それは常にこの宇宙空間のどこにでも満ち足りている力であり、光の速さをすでに超えたものであり、速さという規定にすら含まれないものである……。

アインシュタインは、自らが生み出した特殊相対性理論に重力を取り込むため、学生の頃にサボって学んでいなかった数学、さらにはリーマン幾何学といった数学の分野を勉強し直しました。

特殊相対性理論を発展させ重力をも取り込んだ一般相対性理論をアインシュタインが発表したのは、一九一五年から一九一六年にかけてのことでした。

よく、エレベータの喩えで言いあらわされるこの理論の特徴とは、例えば地球の上にあるものはすべてその重力によって地面にくっつき、落下するというものです。

しかし、エレベータのワイヤーが切れて落下した場合、一時的ではありますが、その中の人は宙に浮き、地球の重力の影響を免れます。

それはなぜかというと、エレベータとその中にいる人が同じ速度で落下しているからです。その人のそばにリンゴがあったとしたら、リンゴもまた同じ速度で落下しているために、エレベータの中ではフワフワと浮いているような状態になっていることでしょう。

このエレベータが宇宙空間にあったとします。そしてこのエレベータが、ロケットのように上へ加速するとすると、中にいる人はエレベータが上へ進む遠心力によって床に押し付けられることになります。これは慣性の力によるものなのですが、加速している最中のエレベータの中は、重力がかかっているのと同じ状態であるといえるのです。

では、話を地球上のエレベータに戻しましょう。

さて、落下するエレベータの、片方の壁の上方から、対面するもう片方の壁に対して光を発射するとします。光はもう一方の壁へまっすぐに進みますが、光が進んでいる間にエレベータは少し落下しています。

エレベータの外にいる観察者が光の進み具合を見ると、ゆるやかに放物線を描きながら、下のほうに落ちていっているように、すなわち、光が下に曲がっているように見えるのです。

ということは、光は重力によって地球に引っ張られ曲げられたことを示しています。アインシュタインは、さらに重力によって曲げられるのは光だけでなく、時間や空間自体も同時に曲げられていると考えました。つまり、「物体の質量によって周囲の時空が歪《ゆが》められ、光もまたその進路を歪められることになる」と考察したのです。

この事実をもとに、アインシュタインは一般相対性理論によって、遠くにある星から発せられた光は、太陽の重力場の影響によって折れ曲がると予測しました。これは当時の常識、いえ、現代の常識から見てもとんでもない発見でした。この光が折れ曲がるという現象を立証するには、一九一九年の皆既《かいき》日食の観察を待たなければなりませんでした。人々はかたずを呑《の》んでその日を待ったのでした。

そして、待ちに待ったその年、ロンドンの王立協会は、ブラジルとアフリカに二つの探検隊を派遣しました。この皆既日食を正確に観測するためです。そしてこの探検隊は、日食時の星の位置を正確に調べ、その日、なんと普段は見ることができないわずかにずれた位置にアインシュタインの計算した重力によって歪曲《わいきょく》された星の光を確認することができたのです。

アインシュタインの一般相対性理論によって導きだされた通り、重力はリンゴだけではなく、この宇宙空間そのものをも引っ張り歪めていたのです。

一九一六年の論文での彼の発見がこの皆既日食によって裏付けられたのでした。つまり重力はアインシュタインの言った通り、空間をも歪めていたのです。

翌日、世界中の新聞がこのアインシュタインのとんでもない発見を記事にし、彼を称えました。「ニュートンを超えた男、出現!」と。

これを機に、アインシュタインは世界的名声と大天才という称号を手に入れ、以後世界中から講演依頼が殺到し、讃辞を寄せられ、当代随一の人気者となったのでした。

後に一九二二年、アインシュタインは日本にも講演旅行に来ています。その日本へ向かう途中の船上で、ノーベル物理学賞受賞の吉報を耳にしています。

重力とは何か

実は重力はアインシュタインの時代においても、そしてまた現代においても、「解明されていない」ものの一つなのです。いったい、重力とはどこからくるのか。なぜ光とは関係なくこの宇宙空間に満ちているのか。

重力とは、速度が無限大で、この宇宙空間のいつでもどこにでも同時に存在し、作用しているものなのです。つまり、地球の上にも太陽の上にも月の上にも、同時刻に同じ重力が存在しているというわけです。

これはアインシュタイン理論のベースである「この世には光より速いものは存在しない」というテーゼを超えてしまっているものなのです。

それは、重力のもとにおいては絶対時間が存在するということになります。

この宇宙は膨張している

時空とは一つの入れ物であり、永遠に安定していて、その中に多くの銀河や惑星が存在し、そのうちの一つである地球上に人間は暮らしている。つまり宇宙とは静止していて膨張も収縮もしていない、永久不変なのだ。この安心できる現実の中で我々人類は暮らし続けています。

アインシュタインも当初、ニュートンをはじめとしたそれまでの物理学者同様、そう考えていました。しかし、数学を用いて計算していくと、どうしてもこの宇宙が膨張しているという結果が出てきてしまうのです。

この時代にアインシュタインが公式を使って発見した新しい現実は、面白いことですが、自分自身でも簡単に受け入れることができないほど奇妙なものでした。

こんな馬鹿なことがあるだろうか。宇宙が膨張しているだなんて……。

この現実を導きだした本人であるアインシュタインでさえも、この宇宙が永久不変でなく膨張するという考え方を受け入れることは困難でした。

この時アインシュタインは、空間同士が押し合う反発力を示す「宇宙項」というものを方程式に導入。宇宙を膨張しない、安定したものであるとし、公式を無理に書き換えて一般社会に発表しました。しかし、ほどなくハッブルという人が観測によって宇宙膨張の現状を明らかにします。いわゆる、「ハッブルの法則」です。

アインシュタインは、後にこのことを「わが人生最大の誤り」と言って後悔しました。

さらに宇宙項を導入する前のアインシュタインの方程式を用いて、後にフリードマンが「膨張宇宙モデル説」というものをつくり、さらにここからビッグバン理論が生まれることになります。現代科学が今なお取り組んでいるテーマの多くが、アインシュタインの発見に由来しているのです。

ちなみに、アインシュタインが後悔した宇宙項導入ですが、宇宙項は近年、宇宙の起源を解くカギを握るものとして見直されてきています。

物質とはエネルギーである

さて、前述の $E=mc^2$ という公式ですが、宇宙論に興味のない方もどこかで見たことがあると思います。すでに何かのキャッチコピーに使われていたりして、有名な公式というよりも常識とさえいえるかもしれません。

この公式があらわしているのは「宇宙とは、実は形も何もないものなのだ」ということです。

マックス・プランクからメダルを授与されるアインシュタイン
―1929年

特殊相対性理論によって、時間は個人によってバラバラで、さらに無限の数の自分、無限個数の太陽、無限個数のビッグバンが存在することがわかりました。

さらに一般相対性理論では、惑星とは、ニュートンが気づいたように引力によってリンゴだけを引っ張っているわけではなく、周りの空間そのものを引っ張り歪めてしまっているということがわかったのです。加えて、物質、つまり惑星や恒星のもつ重さが、惑星そのものを押しつぶして最後にそこに穴が開くというブラックホール＝真空の状態ができてしまうということにも、アインシュタインは気がついたのです。

アインシュタインはさらに、この時空に存在する我々も含めた宇宙そのものは、実は物質ではなく形も何もないものであるということに気がついてしまったのでした。

アインシュタインにいわせれば、私たちが住むこの宇宙空間とは、もともと実体のない、これまでの人間の言葉では表現しえないものであり、この視点からは、時間の進み方も存在している場も人によって異なるし、空間そのものは重力によって歪みと穴だらけで、この現実世界というものが実際にあるのか、ないのか、命をもったものも、それ以外のものも、本当に存在しているのかさえわからない曖昧なものであるということになるのです。

しかし、アインシュタインには一つの信念がありました。それは、この現実世界を超えたところにすべてを統括する一つの意志ともいえる存在があるということです。アインシュタインはその存在を疑いませんでした。

アインシュタインは、この形にならない存在の本質とも呼べる一つの意志——神の心ともいえる——の存在と、それをあらわす美しい一筋の公式が必ずあるはずだと考えました。

この信念のもと、アインシュタインは後半生を費やして、統一場理論というこの世界の存在一切をあらわすことのできる公式を求めて研究を重ねたのでした。

そして病床に紙とえんぴつをもち込み、彼は息をひきとる寸前までこの公式（神の心）を探し続けました。

しかし、彼の頭脳と努力をもってしても、そこに辿り着くことはできなかったのです。

アインシュタインと神

アインシュタインについて、一風変わった面白いエピソードがいくつかあるので、ここではそれをご紹介しましょう。

アインシュタインが人気絶頂だったある日（一九二九年頃）、ボストンに住むユダヤ教の立法学者から一通の電報が届きました。そこにはこのように書かれていたそうです。

「神を信じるか。五〇語以内で答えられたし」

アインシュタインはこの電報に対し、次のように答えました。

「私はスピノザの神を信じています。それは、存在するものの秩序ある調和の中に自己を現す神であり、私は人間の運命や行為にかかわる神は信じません」

スピノザとは、一七世紀に生きたオランダの神学者、哲学者です。伝統から解き放たれた自由な宗教観の持ち主で、彼の唱えた「神即自然」という考え方は代表的な汎神論《はんしんろん》であるととらえられています。

この答えを見ると、アインシュタインは人格のある神というよりは、言葉では言いあらわすことのできない、宇宙の法則をもって神と考えていたようです。また、アインシュタインはユダヤ人であったため、ナチスによる迫害を受けて母国を追われアメリカに永住しました。アインシュタインは生涯、反ナチスの姿勢を貫いたことでも知られています。

ユダヤ人は古くから差別されてきましたが、後にヨーロッパで台頭してきたシオニズム運動の結果として、一九四八年、主としてユダヤ人による国家イスラエルがエルサレムの地で建国されました。

シオニズム運動の指導者にして初代大統領ハイム・ワイツマンの死後、アインシュタインは第二代大統領として推薦を受け、実際にイスラエル政府から大統領就任を要請されたようですが、アインシュタイン自身は「手に負えない」として辞退しています。

またアインシュタインは、国際協調を重要だと考えていました。そのため、$E=mc^2$ の公式をもとに開発された原子力とその軍事力をヒトラーに利用されることを恐れました。

イスラエル首相、ベンとともに―1951年

アインシュタインは苦悩の末、当時のアメリカ大統領、ルーズベルト宛に原子力の可能性に関する手紙に署名しました。

その結果、アメリカ政府は原子爆弾の開発と製造を手がけるマンハッタン計画に着手します。しかしハト派のアインシュタインには、その計画の実行は知らされませんでした。オッペンハイマーという人が中心となり、この原爆製造計画が進められ、後に二つの原子爆弾が日本に落とされることになります。

マンハッタン計画に自身の関与がなかったとはいえ、この話を耳にしたアインシュタインは大きな衝撃を受けました。そして一九五五年には、核兵器廃絶や戦争反対、科学技術の平和利用を訴えたラッセル＝アインシュタイン宣言に署名しています。

彼にとって自分の血と汗の結晶である発見が大量殺戮《さつりく》に使われたことは、彼の生涯のトラウマとなります。

普段アインシュタインは身なりに気を使わなかったり、女性好きなど、欠点ももつ人間らしい人でした。ノーベル賞受賞後も、女の子に数学を教えるなど気さくな人柄でもありました。また、平和を強く望んでもいました。

普通の人となんら変わらない部分をもちながらも、一方で歴史上の天才で、この目に見えない現実を解き明かす力のあるアインシュタインは、人類の中では凡庸《ぼんよう》な人間の価値を超えた、神に近い位置に立っていたのではないでしょうか。

こういう一般の人々に宇宙の法則性を説き、生命の本当の姿、真空を理解させる人物を、お釈迦様は「菩薩《ぼさつ》」と呼びました。アインシュタインは立派な菩薩であったのです。

アインシュタインによって大きく人類の智恵は進歩し、一つの宇宙を超えてその起源へと導かれていったのでした。

次の漕ぎ手は、アインシュタインと同時代にアインシュタインに負けないくらい多くの進歩を人類に与えてくれた量子論四人衆です。

サンタ・バーバラにて
—1933年

第2部のまとめ

●**アルバート・アインシュタイン**……それまで誰も気づかなかった宇宙の真実の形を方程式から導き出してしまった人。彼の方程式に現実のほうが後からついてきました。

●**重　力**……光は真空の中を粒として秒速三〇万キロメートルの速さで伝わるが、重力はこの宇宙空間のどこにでも、いつでも存在している。これはいまだに解き明かされていない人類の疑問の一つ。

●**統一場理論**……アインシュタインは旧約聖書の中で「光あれ」と叫んだのは人格的な神ではない、この宇宙を支配している一種の法則があり、それを方程式であらわすことができると考えていました。それが統一場理論です。しかし、それを見つけることなく、この世を去ります。

●**特殊相対性理論**……人は場所や条件によって同じ空間の中でも別々な時間を生きています。

●**一般相対性理論**……惑星の重力はこの空間そのものを歪めている。そして自分の重力によって惑星が潰れたところには、真空の穴があいているという理論。ブラックホールの考え方はここから生まれました。

●**宇宙は膨張している**……外に広がる膨張を逆に辿ると一三八億年前、私たちの宇宙は一つの点になってしまう。その前は何もなかった。膨張の先にも何もないでしょう。

●**個性的なルックス**……アインシュタインはたてがみのような爆発ヘアーで世界の人から愛され、日本にも講演に来ている。日本と日本人をとても気に入ったらしい。

●**ゆかいなアカデミー**……アインシュタインには二〇代前半に、物理学の話題を自由に語り合える有能な友人が三人いました。いつも行きつけの喫茶店で紅茶とケーキを注文し長々と話をし、人に話すことで頭の整理がついたのです。

第3部

量子論 四人衆

量子論の始まり

一九〇〇年にプランクが発表した「光は粒である」という発見をヒントに、アインシュタインは相対性理論を発表しました。そしてもう一つ、プランクによる光を粒とみなす考え方から大きな学問の流れが生まれました。それが量子力学です。

相対性理論が宇宙の謎の多くにメスを入れることになったのは周知の事実です。しかし、量子力学（量子論）もまた、相対性理論に負けることのない革新的な学問なのです。

それどころかコンピュータをはじめとした現代生活のほとんどの機器は、みなこの量子論をもとにつくられたものです。

実用性という意味では、相対性理論を遥かに上回っているといえます。それどころか、我々現代人は量子論の中に生きているといっても過言ではありません。

一般にアインシュタインはマクロな視点から宇宙を語り、量子論は宇宙の物質をミクロに細分化していく学問といわれています。

しかし、量子論が最後に行き着いた場所は、実はアインシュタインと同様に、宇宙の始まる前の、無の世界だったのです。そこに至るまでのプロセスを追っていくことで、現在人類が自分たちを含めたこの宇宙をどのような構造として捉えているかが簡単にわかります。

この部には、量子論の発案から完成に導いた四人の先導者が登場します。相対性理論がアインシュタイン一人の力によって完成されたのに対し、量子論の全体は幾人もの学者たちの努力とひらめきによって構築されていきました。そのうちの四人の足跡と実績をピックアップすると、この理論の骨格がよくわかります。

量子力学はニールス・ボーアとウェルナー・カール・ハイゼンベルク、エルヴィン・シュレーディンガー、そしてヒュー・エヴェレットといった四人の学者が中心になって、アインシュタインと同時代に発展した最先端の宇宙像です。

最先端のミクロ粒子

前述の通り、量子論という学問は、ミクロの粒子を探求していった結果、次のような、この世界における最小物質を発見するに至っています。自然界に存在する、物質の中の最小のもののことを素粒子といいます。

物質は分子、原子、そして原子の中心にある原子核とその周りを回っている電子、さらに原子核は中性子と陽子に細分化されていきます。中性子も陽子も素粒子から成り立っていて、物質を構成するフェルミオン（フェルミ粒子）、力を伝えるボソン（ボース粒子）に分類されます。

フェルミオンはクォークとレプトンに、さらにボソンは光子、ウィークボソン、グルーオン、そして未知の重力子へと分類され、そのほかに質量を与える素粒子として、ヒッグス粒子という仮定粒子が想定されています。

人間が創造できるもっとも小さなヒッグス粒子を「神の素粒子」と呼ぶ人もいます。

あなたも、あなたの服も、あなたの周りの空気も、そしてあなた自身も、この世に存在するすべての物質は、もとをただせばこのような素粒子からできているのです。

この素粒子のもととなる姿、その性質を解き明かす学問を量子力学といいます。

ニールス・ボーアと相補性

量子力学を学問として確立した人物がニールス・ボーアで、彼はデンマークで一八八五年に誕生しました。一八七九年生まれのアインシュタインよりも六歳年下ということになります。

ボーアがアインシュタインにはじめて会ったのは二〇歳の時のことで、アインシュタインが世界的名声を得た一九一九年の翌年ということになります。

アインシュタインは当初、ボーアの才能に目を見張ります。その感性、その独創的なひらめきに、まるで生涯の友を得た以上の感動を禁じえませんでした。

当時、光は観測の仕方では粒子とみなされるという、アインシュタインの光量子論をもとに、原子構造の研究が加速度的に進んでいました。

イギリスのラザフォードは、実験によって原子の中心の核と、その周りを回る電子の状態を明らかにしました。

そしてボーアは数式にどんな条件を盛り込めば原子の実際の正しい値が得られるかを発見します。それは、一九一三年のことでした。

アインシュタインは、ボーアの発見を「もっとも偉大な発見の一つ」と呼んで称えました。

そのボーアが大きな力となって、後に世に伝えたものが量子力学です。

ボーアは一九一六年に、コペンハーゲン大学の理論物理学の教授となり、付属の研究所（ニールス・ボーア研究所）を一九二一年に開設します。やがて、この研究所に世界中から若き研究者たちが集まり、いわゆるコペンハーゲン派を形成して理論物理学のメッカとなっていくのでした。

そして、量子論が誕生したのです。

しかし、量子力学の創設者の一人だったアインシュタインが、今度はコペンハーゲン派の考えと対立しはじめます。

ボーアとアインシュタインはほどなく、考え方の劇的な違いから終生、激しい対立を繰り返す敵となっていったのでした。

理由はこうです。コペンハーゲン派は、自然をこんなふうに考えました。

「ものの存在やものの状態というのは、最初から確率的な意味しかもっていない。電子や陽子といった粒子は、ここに何パーセントの確率で存在するといったような言い方でしか表現できないのだ。その位置、あるいは運動量は、粒子を観測した時になってはじめてわかる。さらに、光は観測の方法によって粒子にもなり、波にもなる。しかし、観測される前の光は、空気のような形にならない広がりでもあり、粒子でもあるという、互いに矛盾したあり方を同時に合わせもつ」

ボーアはこの存在が根本的にもつ二元性のことを「相補性」と名付けました。一九二七年のことです（「相補性」。この言葉がこの本の重要なキーワードの一つになりますので、ここでその意味をチェックしておいてください）。

宿敵・ボーア(右)とともに—1927年

アインシュタインは、ボーアの主張した「相補性」、つまりミクロの物質はもともと空間に広がる空気のような存在であり、我々がそれを認識してはじめて粒としての性質をもつ。つまり、粒子はもともと波であり粒であるという同時二元性でできているという考えを認めました。

しかし、アインシュタインはこの「確率という考え方」がどうしても気に入らなかったのです。

それは、「理論が不十分だから確率でしかあらわせないのであって、ミクロの物質の振る舞いを割り出せる計算式がどこかに必ずあるはずだ。ただ、まだそれが発見されていないだけなのだ」と強く主張したのでした。

「神はサイコロ遊びをしない」

この有名な言葉は、アインシュタインが、ボーアたちの考えに反論した時に口をついて出た言葉です（一説によると、量子力学の確率解釈を発表したマックス・ボルンにあてた手紙の中で述べた言葉ともいわれています）。

「ものごとを確率論でしかあらわせないのであれば、我々の宇宙や人間さえも、この世界にたまたまできた何の意味もないものになってしまうのではないか。人間とは、自然とは、神の心を理解するために生み出された偉大なる存在なのだ」

これがアインシュタインの主張でした。

これに対して、ボーアはこう言い返しました。

「昔から人々は、神のなすことについて、人間の日常の言葉で話すことを深くいましめております」

ボーアは、こう言いたかったのでしょう。

「自分たちの理論は実際の実験と完全に一致している。もし、神が存在するなら、確率による存在の仕方というのもまた神がつくったのであり、その真意は神にしかわからないのだ。人間であるあなたが神の立場からものを語るべきではない」と。

つまり、何を言おうと実験結果に根ざしたコペンハーゲン派のほうが正しいのである、ということです。

確かにボーアの言う通り量子力学は、その後の世界に大変な進歩と利便性を与えていくことになります。それに対し、相対論は素晴らしい宇宙法則を解き明かしてはいますが、現実的実用性の少ない浮き世離れした理論といえないこともありません。

コペンハーゲン派との論争では、さしものアインシュタインも旗色が悪く、たびたび強力な反論をもって対抗しましたが、ことごとくボーアやハイゼンベルクらによって撃退されてしまったのです。

ということは、ボーアたちの言う通り、神とはたまたま我々人間をつくり、何の目的もたせず、自分勝手に生きるだけが人間の生き方なのでしょうか。

ハイゼンベルクの不確定性原理

さらにハイゼンベルクという人がこの考えを確定する理論を見つけだし、アインシュタインを辟易《へきえき》させます。

「不確定性原理」とは、位置を決めると運動量がわからなくなり、運動量を決めると位置がわからなくなるという、とても有名な相補性、いえ、存在そのものの核を担う理論です。

わかりやすくいうと、「今、あなたがそこに立っている」という状態だとします。すると「その次の瞬間にあなたがどうなっているかを正確に計ることはできない」ということがいえるのです。

これは、観測の際の方法や制度に問題があるからというわけでなく、本質的に、自然とは確定していない、曖昧なものであることを指しています。

さらに言い換えると、人間が一つの時空に生まれ出た場合、その世界の一寸先の未来を予測することは不可能だということです。

要するに、この宇宙は「偶然に支配されている」という考え方です。

これはプランクの発見した光の量子説、つまり皮肉にも宇宙とは不連続であるという考え方をベースにしたものでした。

それを理論化してしまったのですから、アインシュタインは憤《いきどお》り、このハイゼンベルクを終生罵倒《ばとう》し続けます。

アインシュタインは、再び主張しました。

「我々の気づかないところに、宇宙のすべてを言いあらわすことのできる美しい一条の法則が必ずある。物理学者、いや人間とは、その永遠の法則を探すためにこの世に生まれてきた存在なのだ」と。

信仰にも似たアインシュタインの熱意と信念は、「この自然は不確定であるという考え方」を終生鋭く非難してやみませんでした。そして後に、この量子論の不確定性理論派に「EPRパラドックス」という理論を突きつけたのです。

この理論は、アインシュタイン＝ポドルスキー＝ローゼンのパラドックスといわれています。彼らの頭文字に由来しているからです。そして現在、この理論から量子テレポーションという次の時代の科学が生まれています。

しかし、ハイゼンベルクは死ぬまで、それまでの人間の科学常識をぬりかえたアインシュタインを尊敬し続けていました。ハイゼンベルクの研究所には、終生アインシュタインの写真が大きく掲げられていたといいます。

ハイゼンベルクは、むしろ古典物理学の常識を打ち破ったアインシュタインが、なぜ自分の見つけだした新たな理論をこうも否定するのかがわからなかったのです。

エルヴィン・シュレーディンガー

粒子を一つの粒と見るか、それとも真空に広がる空気のような無限の存在と見るか。アインシュタインの相対性理論は、光を粒と見ることによって成り立ちます。量子論も同じく光子を粒と見ることによって生まれた新しい科学です。

しかし、誰も原子核の周囲を回る電子の位置と運動量を同時に知る方程式を見つけることはできませんでした。

それがハイゼンベルクの不確定性原理のもととなる原子核と電子の関係です。原子核の周りを回る電子は、その位置を確認しても、たちまちその次にどこに行くかを予測できなくなるのです。

量子論の学者たちは逆に、電子を見ていない時、「電子は一つの原子核の周りのあらゆる場所に存在していることになる」と考え、新たな方向性を模索し始めます。まさしく、この方向性自体も当時、予想外の展開だったに違いありません。

エルヴィン・シュレーディンガーという人は、「波動」という考え方を使って、電子がどのような屈折率で空間を伝わっていくかを計算する「シュレーディンガー方程式」をつくりました。量子は空間に広がる空気のようなもので、同時に目で見ると一つの確定した粒になるという性質、この二元的相補性が物質の本来もつ性質であると確証します。

シュレーディンガーは、ハイゼンベルクの電子の不確定性、ひいてはボーアの立証した原子模型を確実なものとし、物質は点であると同時に、もともと宇宙的な広がりが備わっている空気のような広がりである、ということを明らかにします。

つまりこれは、人間は目で見、手で触ると一見、個体ですが、同時に宇宙全体に広がる無限の空気のような存在でもあるということなのです。

二〇世紀、人類は量子論を通してこの生命が根本的にもつ不思議な相補性という性質を解明したのでした。

シュレーディンガーはインドのヴェーダーンタ哲学に興味をもち、その発想と量子論の基礎となる考え方の酷似性を指摘しています。

また、ボーアは釈迦と老子の考え方をヒントにして量子論を立ち上げました。その徹底ぶりは、ボーアがデンマーク最高の勲章を受章した時の紋章に、陰陽からなる太極図を選んだことからも明らかです。ボーアは、物質にはもともと二元的な性質があることを科学に取り入れたのでした。

もしも私たちの目が、原子や原子核の周りを回る電子、否、最先端のミクロの粒子と呼ばれるトップクォーク（第三世代のクォークと呼ばれ、もっとも後に発見されたクォークの一つ）まで見ることができたとしたら、どんな世界が見えるのでしょうか。

それは、想像の範囲を超えています。

目に見えない意志を言葉にする

この宇宙の大本《おおもと》には、何もなくて、あるのは形にならない一つの精神、あるいはそこに輝きを与えている「神」と呼ばれるような何かがあるのでしょうか。

もしかするとそれは、「ある」という言葉を当てはめることもできないものかもしれません。あるいは、何も見えない状態で、瞑想《めいそう》によって体現できるという「空」と呼ばれる境地があるだけなのかもしれません。

アインシュタインは、この形になる前の神の心をもってこの宇宙が成り立ち、それを言葉にできると信じて研究を進めました。しかし、量子論学者たちは、そんな形になる前の目に見えない意志など無視し、目に見える現実にこの理論を当てはめ、トランジスターや半導体をはじめとした様々な機器を発明していったのです。

しかし果たして宇宙の果て、トップクォークの果てには、その両方を統合する「何か」があるのでしょうか？

二〇世紀に入り、シュレーディンガーは物理学ではなく生命そのものの解明に挑みました。一九四四年には『生命とは何か』、一九五八年には『精神と物質』といった著書を著《あらわ》しています。

シュレーディンガーは物質のもつ相補性は認めましたが、アインシュタインと同じく、不確定性原理を認めることは拒みました。そんな彼は、こう語っています。

「一切の精神は一つだというべきでしょう。私はあえて、それは不滅だといいたいのです。なぜなら、精神は特別の時刻表をもっておりまして、精神にとっては常に『今』があるのみなのですから。まことに精神にとりましては、過去も未来もありません。記憶と予想を包み込んだ今があるのみです。

だが私は、私たちの（西洋の）言葉はこれを表現するには適さないということも認めるものです。また私は――誰かが指摘するかもしれませんが――右の主張を宗教について述べているのであって、自然科学に対して示しているのではないということも認めますけれども、宗教は科学に対抗するものなのではなく、むしろ宗教は、これとかかわりのない科学的な研究のもたらしたものによって支持されもするのであります」

かつてブッダ（覚者）は「宇宙や生命にはもともと実体がないのだ」と語りました。実体にもならない何か、それはいったい何なのでしょう。

物理学はここにおいて、物質になる前にあるなんらかの存在を理論化しなくてはならないという大きな壁につきあたってしまったのです。

物質とは精神である？

しかしその後、西洋の合理性科学の探究が行き着いた先は、結局、「物質とは精神である」という〝悟りの科学〟でした。

ちなみに、アインシュタインは、インドの大詩人で、アジア人初のノーベル文学賞受賞者であるタゴールと親交がありました。二人は一九三〇年、アインシュタインの別荘で次のような会話をかわしています。

タゴール――この世界は人間の世界です。世界についての人間のつくり上げた科学理論は、所詮、科学者の見方にすぎません。

アインシュタイン――しかし、真理は、人間とは無関係に存在するものではないでしょうか？　私は人間を超えた客観性が存在すると信じます。宇宙の定理は、人間の存在とは関係なく存在する真実です。

タゴール――しかし、科学は現実を無数の原子が描く現象であることを証明したではありませんか。この世界を神につらなる光と闇の神秘（宗教）と見るのか、それとも、無数の原子（科学）と見るのか。そんな見方そのものも、もし人間の意識がなくなれば、世界とともになくなるのです。

アインシュタインもそうですが、シュレーディンガーにしろボーアにしろ、最先端の科学を追究している科学者たちが最終的に東洋思想や哲学、科学と宗教の同一性を見出《みいだ》しているのは非常に興味深いことです。

結局、現代物理学は「物質とは精神である」という答えにすでに到達してしまっているのです。

エヴェレットの宇宙の多世界解釈

ボーア、ハイゼンベルク、シュレーディンガーたちは、さらに「極微の世界の粒子の振る舞いを通して、この宇宙という現実とは、物質とは、固体でありながらも同時に宇宙全体に広がる空気のような波（意識）でもある」という考え方に賛同しました。

再び繰り返しますが、量子力学では、この全体であり個でもあるという二つの状態が同時にあることを「相補性」と呼んでいます。

アインシュタインは量子力学の偶然という考え方が大嫌いでしたが、量子力学が見つけた存在のもつ相補性という考え方は認めています。

あなたは物質でありながら、同時に宇宙全体に広がる可能性の波（意識）でもあるのです。そして、この性質がなければ、もともと物質は存在しえないのです。

そして、この考え方を原子のみならず、大胆にも我々の住む宇宙そのものに当てはめるという理論を発表した人物が出てきます。プリンストン大学の大学院生だったヒュー・エヴェレットです。それは、一九五七年のことでした。

「宇宙の多世界解釈」と名付けられたこの理論はその後、現代物理学の大きな潮流をつくっていくことになります。

エヴェレットによれば、「我々の目の前に映る宇宙空間には、目に見えないが、重力によってつながる創造可能なあらゆる無限の世界が重なり合っている。その世界には、ほんのわずかな差によって成り立つあなた自身が無限人いる」ということです。

ほんのわずか産毛《うぶげ》の生え方が違ったあなた、靴の紐が計測できないほどわずかに掛け違っているあなた、外を歩いているあなた、家で本を読んでいるあなたなど、この宇宙には無限のあなたが同時に存在していて、過去から未来、そして今この瞬間からも無限パターンのあなたがあらゆる方向へと派生しているのです。その結果の一つが、今この本のこのページを読んでいるあなた、ということになります。

もちろん同時に、この本を読んでいないあなた、明日のお昼ぐらいにたまたま本屋でこの本を見つけてそのまま立ち読みをするあなた、死ぬまでこの本の存在すら気がつかないあなた、熱をだして本を読むどころかウンウン布団でうなされているあなた。気がつかないけれど今この瞬間に、数えきれない程のパターンのあなたがこの宇宙に同時に存在しているのです。

たまたま、その中の一人であるあなたは幸か不幸か、この本に辿り着き、この存在のもつ不思議な性質の一端を示唆《しさ》され、「なるほど」などと感心しているかもしれません。

エヴェレットの示した、この宇宙の多世界解釈という考え方を最近の言葉で言い換えるならば、「平行世界の存在」ということになるでしょう。

量子力学の基礎となる、「この世界とは連続しない量子の重なりによってでき上がっている」という考え方を突き詰めていくと、こうした世界観へと導かれていくのです。

まぁ、現代科学とはえらいところまで辿り着いてしまったものです。しかも、この考え方がすでに半導体に応用され、我々の現実生活のほとんどすべてを支配してしまっているのです。

このことを、私たちがどう生きるかという観点から考えてみましょう。

人生を生きるということには無限の選択があり、自分がどういう人間として存在するのかということにも、無限の組み合わせがあるということになります。

つまり、自分という人間も、一瞬一瞬で異なる自分が存在しているのです。それを五感で、一人の自分の人生という一筋の流れとして把握できるというわけです。

でも、あらゆる瞬間から分岐した自分が他にも無限人いるのです。

ボーア、ハイゼンベルク、さらにシュレーディンガーが示した波動方程式とは、あくまで一つの原子核の周りを回る電子の軌道を求めるものでした。そのため、方程式を構築して、それを実験によって確認することも可能だったのです。

しかし、原子のもつ相補性を全宇宙そのものに当てはめて、さらに人間にまで当てはめてしまうと、もはやそれをあらわす方程式も立証する手だても何もありません。

エヴェレットの多世界解釈の出現以降、量子力学と呼ばれていた物理学の学問分野は、量子論という哲学理論へと移行せざるをえなくなったのでした。

この後に登場するスティーヴン・ホーキングやアレキサンダー・ビレンケンもそうですが、この世代以降の物理学者でこうした宇宙の全容に解答を求めようとする場合、その人たちはもはやノーベル賞などの対象からまったく外れてしまうことになります。

なぜなら、このような無限論は実質的に、宗教によって扱う宇宙誕生以前の科学となってしまっているために、実験による立証が不可能だからです。

すでにこのあたりから五次元以上の世界の科学のレベルになってきてしまったということです。しかし実際はエヴェレットの多世界解釈を応用すると、それまで解き明かせなかった物理学の多くの問題をクリアできるのです。

同時進行する複数世界

多世界解釈という考え方をさらに応用すると、いったいどういうことがわかるのでしょうか。

この世界には無限の自分が存在するだけでなく、何と創造できうるあらゆる世界が重なり合っているということがわかります。そして、その一つひとつの宇宙にも私たちと同じような生命体がいて、進化し続けているということになります。

多世界解釈の考え方では、例えば、観測者（この場合は自分自身の人生におきかえてみましょう）たる自分自身が何かを選択して他の何かを選択しないという行動をとった時も、「選択しなかった」、あるいは遭遇しなかった世界がどんどん分岐していっていると考えます。

それは、自分が意図した行動の範囲のみならず、関知しない部分にも及びます。だからこそ、「無限の数だけ並行宇宙が存在する」のです。こうして現在、物理学は哲学化してしまっているのです。そして、もう一つ、この宇宙を考える上で大切なことがあります。

それは、あなたは、この世界に形となり生まれてこないといったい何なのかわかりません。あなたが山田さんなのか、加藤さんなのか、男なのか、女なのか、人間なのか、コウモリなのか、物質なのか、何か他の生命体なのか、ただの岩石なのかさえも判断できないのです。では、存在が始まる以前のあなたとはいったい何だったのでしょう。

あなたも私も真空だった

生まれる前の、なにものにもなっていないあなたとは、いったいどんな状態でいたのでしょう。相補性という考え方からみると、あなたが生まれる前、形になる以前は、あらゆるものであったということになります。

そして「あらゆるものである状態とは、不思議なことですが、何もない状態、つまり真空」であったということになります。すべてが同時にあると形にはならないのです。

そしてそれは、この宇宙の始まる以前ビッグバンの起こる前の状態ということになります。

量子論の相補性では、この「ある」という状態と「何もない」という二つの状態は同時に存在することになるので、今現在もあなたは自分という肉体をもちながらも、形になる以前のあらゆるもの、つまり真空でもあるのです。

この本を書いている私も、人間でありながらも真空であるので、あなたも私も同じ真空であるといえます。そして同時に、お互いを目で見ると、別々の肉体をもった人間でもあるのです。

相補性という考え方で、こうした存在のもつ本質的な多世界観を解き明かしていくと、人間だと思っている私とあなたは、同時に真空でもあるという、考えられない現実を知ることになるのです。

さらに繰り返しますが、アインシュタインは、固体とは同時に空気のように宇宙全体に広がる目に見えない全体でもある、という相補性には賛同しました。

そして、二五〇〇年も前、お釈迦様も物質のこのような性質のことを「空即是色《くうそくぜしき》」つまり、何もないということ（空）が同時に変化するすべての世界（色）でもあると、量子論が行き着いた答えとまったく同じ考えを語っています。

私たちは人間であると同時に真空でもある。これがもしかすると人間が探し求めていた神の姿とその性質ということになるのでしょうか。

アインシュタインの勝利、不確定性原理の破綻

あなたが恋人と会っている時も、実はあなたは真空なのです。あなたが生きていようと死んでいようと、実はやはりあなたは真空なのです。時間にも、空間にも、何者にも束縛

されることなく、あなたはただ永遠に真空であり続けているのです。

死んでいようと生きていようと、結局あなたも私も真空なのです。今もそしてすべての生命の行き着くところも何もかもただ一つ、それは真空なのです。

そうなると、真空であるあなたには、不確定原理などまったく関係のないものとなってしまうことがわかります。未来に対する恐れ自体が、人間によってつくり出された一つの思考にすぎないのです。なぜなら実際には、あなたも私も真空だからです。

目に見える世界の利便性を追うボーアに対し、アインシュタインはこれがいいたかったのです。この世界の真理に立った視点から、生命とは本来、なにものにも影響を受ける存在ではないということを語っていたのです。

あなたも私も、なにものにも影響されることのない真空だということが量子論の相補性を通してわかってしまいました。

人類の未来も過去もすべては真空に向かっているだけで、いえ、この世界そのものは、今もその真空の中に一時的に存在する仮想世界で、それ以外のなにものでもないのです。つまり、この世界そのものが真空の中にあるのですから、別に未来を恐れることも過去を悔やむことも何もないのです。

アインシュタインの理論、いえ彼の予言は、あらゆるものは真空であるという視点から語られるものであったがゆえ、不確定性原理をまったく受け入れる必要などなかったのです。

そして、それが人類の進化と呼ぶ未来への道筋であったのです。アインシュタインは真空の視点へと一足先に行って、そこから二〇世紀、二一世紀、二二世紀の科学が歩むべき方向性を予言として残してくれました。

しかし、社会を利するという考えをベースとした物質世界に視点を置くボーアには、アインシュタインのこの真空の視点はまったく理解できなかったというわけです。

アインシュタインは当時、その直感から、これから先、人類が向かう科学の方向性とそのプロセスを的確に見通していたのです。

そして、その予言の通りに二一世紀に至り、人類はビッグバン以前の真空の姿を発見し、そしてなんと人間は、すでにその真空の中にある無限の世界を自由に行き交うための実験を始めてしまっているのです。

こうしてみるとアインシュタインの予言とは、二一世紀、二二世紀のこれから先の時代の真空の科学の時代の到来を見事に言い当てていたことがわかります。では果たして、さらにその先にある「神の心」とは何か。いよいよ人類が神とともに生きる時代がやってくるのでしょうか。

さあ、船はいよいよ時間と空間の波を越え、存在の大本へとワープしてしまいました。

第3部のまとめ

●**ニールス・ボーア**……アインシュタインと並ぶ二〇世紀最大の科学者の一人。アインシュタインと比べて知名度が圧倒的に低いのは、アインシュタインが宇宙の真理、神の方程式化を目指したのに対し、ボーアは終始物質世界の実用性を求めたため、ブランドネームが確立しなかったようです。人間は潜在的に物欲を満たす人より、宇宙の真理を教えてくれる人を尊敬する性質をもっています。ボーアは新しい原子モデルの確立など新たな現実をつくり上げた大天才でもあり量子力学の創始者ともいわれています。さらにアインシュタインには公の論争でも勝利しています。しかし名前とともに、そんなエピソード自体あったということも一般的に知られていません。

●**ハイゼンベルク**……不確定性原理をつくった人。花粉症だったため空気の綺麗な場所に住み、ロッククライミングと読書（主にゲーテ）と物理学の研究を日常繰り返していた。アインシュタインを尊敬していたが、アインシュタインからは軽蔑されていました。

●**エルヴィン・シュレーディンガー**……女たらしで愛人のベッドの上で電子の屈折率と波動的電波経路を測るシュレーディンガー方程式をつくる。宗教的感性と科学的感性のバランス感覚が飛び抜けて優れた人。「シュレーディンガーの猫」の喩えはブッダの教えからヒントを得ています。

●**ヒュー・エヴェレット**……この宇宙には無限人の自分がいて無限個の宇宙があります。五感によってその流れの一つを体験しているのが自分、という認識です。エヴェレットの多世界解釈の出現以来、方程式の時代は終わり、物理学は新たな段階へと進むことになります。

●**平行世界**……これがないと、未来は一本しかないことになってしまう。すると、生きることも生まれる必要性もなくなってしまいます。

●**無とは＝無限（Nothing is everything）**……すべてがあるということが何もないということ、よく聖者と呼ばれる人たちがこんなことを言う。物理学ではもうこれ以上の表現は不可能という公式0＝θ（ゼロ＝無限）がこれとリンクします。

●**無＝無限＝真空＝神＝一＝多＝空＝色＝精神＝あなたの内面性**……これらはすべて同義語です。

●**あなたも私も空気のような真空だった**……そうは思えないかもしれないが、これを理解することをグナナ（解脱）といいます。

●**真空の科学の時代**……現代までが物質の科学の時代なので、それに合わせてこういうロゴをつけました。

●**真空＝精神**……結局、物質は精神が形になったもので、物質ではなくなると自我がなくなり精神に戻ってしまう。そしてそれが同時にすべてであることになります。

ヒュー・エヴェレット

ニールス・ボーア

ウェルナー・
ハイゼンベルク

エルヴィン・
シュレーディンガー

第4部

人類が辿り着いた神の姿と宇宙創世モデル

最高峰の知

この章では二一世紀現在、あらためて我々人類の科学がどのような段階に辿り着いているのかを検証していきます。簡単にいってしまうと、すでに人間はビッグバン以前の実体をもたないすべての宇宙が統合された真空の次元を捉えています。そしてそれが自分自身の本当の姿だということもわかっています。

それは、神と呼べる存在の大本であり、あなた自身の本質的な姿でもあります。面白いことに現在それは何かといった理論の方が現実に追いつかず、逆にこの宇宙の源である真空を人工的につくり、それがいかに活用できるかの研究のほうが始まっている段階です。原子力と同様、人間の思想が現実に追いつかない状況ができつつあるのです。

我々人間はアリストテレス以来、約二五〇〇年の間、この宇宙とは何かを追究し、その答えを探し求めてきました。そして辿り着いた答えは、「我々の宇宙が始まる前には何もなかった」ということでした。

しかし近年、量子論によって、この宇宙が始まる前の無とはまったく「何も存在しない無」というわけではなくて、逆に創造できうるあらゆる世界が重なり合った状態であること、我々の住む宇宙はビッグバン以前のこの無の中に存在する、無限の創造世界の中の一つであるということがわかってきました。その中には、様々な世界があり、生命が生き、進化のレベルには差があります。すでに真空を科学として応用し、時空の壁を超えて行き交う世界もあれば、原始時代のような世界もあります。

我々の世界は、そのうちの、まもなく時空の壁を超えて、この存在の大本である真空を使いこなせる直前にきている段階の世界です。まだまだ色濃く資本主義という思想に凝り固まり、この宇宙の自由性に気づかぬ人たちによって支配された文明世界です。

そんな三次元に住む我々人間が内側から五感を通して外の世界を見ると、まるで一三八億年の大きさをもつ宇宙空間の中に地球が浮かび、時間が流れ、生命が生まれ、育まれ、世代を超えた進化を共有しているように見えます。いわゆるニュートンの発見した宇宙観です。

しかし時空の外から見ると、実際にはこんな世界など形も色も何もなかったというわけです。そして量子論ではさらに、このあらゆる創造可能な世界が詰まった全体である無と、無の中にある無限の世界の中の一つである我々の宇宙が同時に存在しているといいます。

つまり、形にならない全体と内側から目で見える「無限の個」は同時に存在しているのです。さらに繰り返しますが、これを「相補性」といいます。

アインシュタインは晩年「場」という考え方を使って、このビッグバンが始まる前の真空を宇宙のあらゆる場の集合体として方程式化しようと試みました。すべての場の集合体、つまり統一された場をあらわす公式が統一場理論といわれる由縁《ゆえん》はここにあります。

驚くべきことですが、二五〇〇年前、お釈迦様は全体と無限の個が同時に存在するこの宇宙の統一場的性質のことを「一即多《いちそくた》」、つまり一とは同時に無限でもあるのだと説明しています。お釈迦様はすでに、ビッグバン以前の、無であり、かつ無限である状態を発見していたのです。

そして、無であり無限であるこの真空こそが、あなたの本当の姿、それはあなたの精神ではなく、形にならない「あなたという精神の姿」であると語っています。

このように、数式化できないことをあっさりと断言してしまうと、私たちのこの世界では、それは即、宗教、哲学というカテゴリーの中に分類され、実社会とは別のものという扱いを受けてしまうというわけです。

本当はお釈迦様の考え方のほうがこの宇宙の主流で、この物質社会に生きる人間の科学のほうが宇宙の本来の進化の流れの亜流なのですが、現在の我々の世界とはこうした宇宙の本質的な流れとは逆の物欲教一色に染まってしまっているというわけです。

ビッグバンとは、あなたという精神の中における物質の始まり

ハンガリー生まれで二〇世紀最高の数学者と呼ばれるジョン・フォン・ノイマンという人がいます。コンピュータの基本となる計算や処理機能を数値に直してプログラム化した人で、今日のコンピュータはすべてこの人が基本原理をつくったといわれています。そのためこの人の名をとって、現代のコンピュータは「ノイマン型コンピュータ」と呼ばれています。

それ以外でも様々な分野で巨大な足跡を残したノイマン博士は、当時、量子力学に対し

て一つの鋭い指摘をしました。

それは、シュレーディンガー方程式からは「波の収縮」が、どの時点で発生したかが導けないというものです。

つまり一様に空気のように広がる物質になる前の電子は、どの時点から位置が決まり物質化したのかを計算できないというのです。

つまり、人間が気づくと、すでにそこには電子があるというのです。これをさらにわかりやすくいうと、ノイマンは宇宙が始まる前の真空の状態が、いつ、どの瞬間に、どの時点においてビッグバンという現象へと変わったかを計算で求めることは不可能だといっているのです。

ノイマンは、これに「真空の物質化は、この宇宙が形となり三次元空間が成立する以前の精神の中で起こっている」と解答してみせます。

これを言い換えると、この宇宙が形として始まる前には精神があり、この精神の中でビッグバンが起こり、そして時空が成立し、その中に人間が生まれ、五感で認識してはじめてこの世界の存在が認知されるので、その世界の中でだけ通用する五感や言葉や数学では、それ以前の精神の状態を認識したり方程式化することは不可能だといっているのです。

　つまり私たちの住むこの宇宙には、まず言語や公式では表現できない精神があり、それがいつ物質化したかを認識するのは人間の知覚能力では不可能である、といっているのです。この空間の生まれる前の形にならない状態は、人間の認識の幅を超えていると説明しています。

　人類は物理学によって、二五〇〇年をかけてこの宇宙誕生前の次元へと辿り着き、それを解明する段階に至りました。

　しかし、その状態は「無、何もない」としか説明できず、人間の思考機能、言語機能の枠の外にあるので、言葉にすることも、それを一つの瞬間として認識することもできないのです。

　そのため時空を超えた宇宙創造を語る場合、かつての聖者たちは様々な喩えを使い人々に何もない真空の中でどのように宇宙が生まれたかというこの真実を様々に語りました。それが現在の民族宗教の教典のはじめに語られる宇宙創世の神話となって語り

ジョン・フォン・ノイマン

継がれているのです。

この宇宙創造の物理的に何もない次元を「神の姿」と呼ぶとしたならば、神とは「あなた自身がまだ形になる以前の真空の姿」といえます。逆に精神であるほうのあなたは、この自己の形にならない普遍なる姿を理解するためにビッグバンを起こし、七次元、六次元、五次元、四次元へと自己を階層化させていき、そして三次元において縦、横、高さをもつ空間をつくり、銀河をつくり、惑星をつくり、そこに住む人間をつくり、その人間一人ひとりの内面の中に四次元から七次元に至るこの意識の世界、つまり自らを理解するための仕組みをつくったというわけです。

M理論では、この真空には言葉であらわすことのできない余分な次元が七つほど組み込まれていると計算しています。そこから考えると、このビッグバン前の何もない精神とは八次元ということになります。

そして、それがあなた自身の大本の姿であり、この宇宙に息づく生命すべてが一つになった存在の本質的な状態なのです。しかし、それがいつ始まったのか、何の目的でそうなっているのか、それを公式で導きだすことは誰にも不可能だとノイマンはいっているのです。

「神の姿」に辿り着いた人類

こう考えてみると人間は、この三次元世界において、外には科学（物質）を通して、内には宗教（意識）を通して、高次元にある自らの偉大なる姿を探求できる仕組みをつくり上げたといえます。

人の五感を通して外の世界に向けられた自己を探求するという意志は、分子→原子→原子核→クォーク、そして宇宙誕生以前の粒子であらわすことも、言葉であらわすこともできない、真空を一種の音の共鳴であると理解するレベルにまで達しています。これを「ひも理論」といいます。

ビッグバン前の視点からこの宇宙全体を見下ろすと、そこには言葉で言いあらわすことも公式であらわすこともできない、まるでストリングスによって奏《かな》でられる音の波長のような生命が共鳴し合いながら存在しているというのです。これが「人間の科学が辿り着いた自らの姿、つまり神の姿」というわけです。

一方、宗教は、瞑想を通して内なる潜在意識の世界へと入り込み、心の階層をより深く内へと進み、四次元を感情、五次元を知性、六次元を理性、七次元を感性、そして宇宙が生まれる前の次元を「真我の世界」（本来の生命の状態の世界）と呼び、その振動数へ瞑想を通して意識を完全に同化させることをグナナ（解脱）と呼びました。

解脱とは読んで字のごとく、宇宙の仕組みを「解」き明かし、人間であると思い込んでいる自己の視点をビッグバン以前の本来の意識へと同化させ、この三次元の無知なる状態から「脱」するという意味です。

ここにおいてシュレーディンガーのいう通り、科学と宗教の目的が同じであるということが理解され、この世界は本来の存在の本質である八次元に生まれた一つの精神であるという真実を解き明かすゴールへと到達したというわけです。

現代という時代は、我々生きとし生けるあらゆるものが、本来たった一つの形にならない生命であり、時間と空間を超えて永遠に生き続けているということを、科学が解明した時代といえるかもしれません。

こうしてビッグバンを超えて八次元へと昇っていったあなたの心の内には、無限の創造世界が入っているのです。その境地から見下ろすと、この世界に住むありとあらゆる生命の目的とはただ一つ、この宇宙の最高次元にある自分自身の本当の姿を見つけることだったということがわかります。これこそ、人間がこの世に生まれてくる理由であり、すべての生命、そして宇宙が生まれた起源はそこに起因しています。

つまり、もともと形なき神であるあなたは、自分の本当の姿を見たかっただけなのです。

「神の姿」を見つけるとは、まさにこのことを理解することでした。「神を見つける旅」はこのあたりからいよいよ佳境に入っていきます。

結局はアインシュタインの相対論の辿り着いた先と量子論の行き着いた先は、宇宙の基本の姿「空」であったのです。科学はいつの間にか、まるでかつての聖者たちのように「ひも」という言葉や「共鳴」などという言葉を使って宇宙の姿を喩えであらわすようになっていたのでした。

人間は肉体を失っても、原子は変わらず生き続ける

面白いことに、近年、人間は三次元で肉体を失ったあとも、原子の数と配列が変わらないということがわかってきました。

つまり人間は、肉体を失ったあとも、同じ意識を構成し、四次元以上の生命となり生き続けているというわけです。

では、いったいどこで生き続けているのでしょうか。

最先端の量子論では、肉体消滅後の精神は、四次元から七次元に至るいずれかの世界に波動として同化し、生き続けていると説いています。

人間は死ぬと、真空でありあなたの精神でもある無限の創造世界の中にある、七次元から四次元に至るいずれかの世界に戻り、波動生命となって生き続けているのです。

リサ・ランドール

リサ・ランドールをはじめとした著名な物理学者たちは現在、この世界の多次元構造について、その存在を計算で割り出し、立証するための努力を続けています。リサ・ランドールは五次元の存在を公式として、証明した人といわれています。彼らはこの世とあの世を超えた新しい存在の科学をつくりだそうとしているというわけです。

人間は、いよいよ宇宙の本質的姿を悟り、さらにかつてお釈迦様が語った多次元、そして多世界であるこの真空の構造を解き明かす段階へと至ったわけです。

神の姿を見つけたその先にある、その心そのものを解明する段階へと辿り着いたのです。

量子テレポーテーションと新しい時代

現在、スイスにある欧州原子核研究機構（CERN《セルン》）の世界最大級の素粒子加速器は、このビッグバン以前の場の集合体である「真空」を人工的につくり出し、この宇宙に並行して存在するいずれかの世界から物質を取り出す実験を繰り返しています。

考えてみると、真空を通して向こうの世界から取り出せる物質とは、この世のものではありません。それは言い換えると、あの世から来るものともいえます。

しかし、向こう側の世界から見ると、私たちの住むこの世が、逆にあの世になるのでしょうか。

この技術がさらに進むと、お釈迦様が『法華経《ほけきょう》』の「観世音菩薩普門品《かんぜおんぼさつふもんぼん》」で語った、「人間が乗物に乗って別の宇宙へと旅する時代」がやってくることになります。

つまり、この世とあの世、あの世とこの世の交流が始まってしまうということなのでしょうか。

現代科学ではこれを「量子テレポーテーション」といいます。この研究では、日本の古澤明氏をはじめとする東京大学の研究チームが世界の最先端を走っています（ちなみに古澤氏はノーベル賞にもっとも近いところにいる人物といわれています）。

これが実用段階に入ると、この三次元世界にあるお金や土地や株などといったものには価値がなくなり、人間はいよいよ平行世界を旅するようになるのです。それはすなわち、この世界が五次元に進化するといえるでしょう。

その世界は、もうすでにそこまで来ているのです。私たちの世界はこのような技術を通して、アインシュタインが目指した「神の心」をより一層スピーディーに深く学ぶことが生きる目的となる世界へ劇的に変わることになります。

現在のあなたは、この大転換期の真っただ中にいるのです。

それは、一次元から七次元に至る宇宙のすべての世界が、神の心によって通じ合い一つになった世界と呼べるかもしれません。

つまり、資本主義の時代から仏法の時代へ変わるというわけです。お釈迦様は、仏国土《ぶっこくど》とはグナナ（解脱）し、物欲を離れた生命たちが「真理とは何か、神とは何か、仏とは何か」のみを語り合い、精神的進化を分かち合う世界のことだと語っています。

考えてみると、この世界の我々もほんの少しだけチャンネルを切り替えてモードを上げてみれば、それは生命として当たり前のことかもしれません。なぜなら差別もお金も投資も貯蓄も階級も、本来の人間の精神の進化にはまったく必要のないものなのですから。そうした差別と排他の思想は、すべてもっとも低い次元にしか存在していません。

そんな生命本来の精神進化という、ただ一つの目的に生きる素晴らしい世界がもうすぐそこまで来ているのです。さて、あなたはこの大変革についていくことができるでしょうか？

真空とはあなたの精神のこと、それは多次元、多世界構造

ビッグバン以前の状態とは、永遠に生き続ける真空であり、それはあなたの精神であり、あなた自身の本当の姿であり、そして生きとし生けるすべてのものたちの真実の姿でした。その精神の中には無限の創造世界があり、そのうちの一つが、今あなたが生きているこの三次元空間なのです。

この空間の内側に肉体をもって生まれると、五感を通してまるで宇宙は外の世界にあるように見えます。しかし、実はこの三次元世界とは、まぎれもなくビッグバン以前のあなたという精神の中に存在している世界なのです。

なぜ、あなたはこの世界に人間の姿となって降りてきたのでしょう。それは簡単なことです。あなたはこの自分の本当の姿を見つけようとしたからです。

三次元に降り立ったあなたからは、この宇宙は秒速三〇万キロメートルで広がり続ける光が織りなす空間の動きとして認識できます。

この世界では時間が流れ、生命が生まれ、死に、そして世代を重ねて知識を蓄積しながら、最終的にはすべての人が宇宙の生まれる以前から存在していた真実の自分へと辿り着くことができる仕組みになっているのです。

現代の人間の科学でそれは、「量子的無」と呼ばれていて、真空である世界にあらゆる情報がゆらいでいる状態とされています。

宗教では「真我《しんが》」、あるいは「神」と呼ばれるそれは、すべての人々の心の奥の統一された次元であり、自分や他人といった区別がない普遍の境地のことです。

三次元世界に別々の肉体をもって生きている人たちも、時空の始まりを超えた無のレベルにおいては、同じ一つの精神なのです。

ある人々はこの精神を神と呼び、太古の昔から民族の畏敬の対象として崇《あが》めてきました。またある人々は、挑戦すべき自らの知の到達点として、数学や物理といった計算術を使って探求してきました。

西洋世界では、宇宙を生み出した創造主、外にあるものとして祈りが始まりました。

東洋世界では、人間の心のもっとも深くに存在する真我、真実の自分の姿として、それと同化するための技術として瞑想が生まれました。

祈りと瞑想という技術は、どちらも自らの心をこのビッグバン以前の精神へと同化させるための技法なのです。

神を見つける旅の終着駅

宇宙誕生前の言語化できない状態をあえて「神」と呼ぶとしたならば、この「神」と呼ばれる精神とは「自らが何かを理解するために生まれました。自らが神であるとはいったいどういうことなのか」という問いを解き明かすために自己を多次元化し、三次元において時空をつくり、それまですべて内側の世界として見えていたものの中にあえて肉体を置くことで、自己の内側にあったものを外に見、体験するという仕組みをつくって、それを観察し始めたのです。この真空の仕組みと性質そのものが、あなた自身なのです。

しかし、三次元に人類が生まれ文明ができたばかりの頃、外に映しだされた自然の姿は大自然の脅威《きょうい》として受け止められたのでした。太陽が昇り沈む。ただ、それだけでも原始の時代に生きる人間たちにとっては畏敬の対象に映ったのです。

やがて人間は、この天地をつくり、自分たちを見守っている存在を創造主として、「神」と呼び始めました。自分たちに生きるための宇宙を創造し、この地上に生かしてくれる存在です。やがて天が動き、この地上を照らしてくれているという天動説を唱え始めたのです。

そして観測技術の発達とともに惑星と銀河という宇宙の構造が明らかになると、地球のほうが銀河の惑星の一つで、太陽の周りを回っていることがわかり、地動説が生まれました。

やがて、ニュートンが出現して一つの空間における物質の基本原理と惑星のもつ重力を発見しました。そして、アインシュタインによって我々の宇宙空間は重力で歪んでいて穴だらけであること、おまけに時間というものは空間の中でも条件と場所によってバラバラで曖昧な位置づけであること、さらにはこの空間が膨らみ続け、本質的に物質は同時に形にならない、無であるといった、様々な法則を発見するに至ります。

極微の世界を観測する量子の技術が発達すると、この世界は究極的には粒子でできているのではなく、時間も空間も実は形にも物質にもならない真空の一部であるという悟りに至ります。相対論も量子論も行き着いた先は同じで、宇宙には本来実体がなく、波動としてこの時空を超えた領域に永遠に生き続けている、無形の生命だったということを発見したのでした。

ここにおいて「神」と呼ばれるビッグバン前の精神は、自らが生みだしたこの世界を通してそこに住む人間の五感を使い、自らの姿を完全に認識することに成功したといえます。その姿は無であり、同時に無限でもあるのです。

創造できうるあらゆる世界を内に含み、この世と呼ばれる三次元と、あの世と呼ばれる四次元、五次元、六次元、七次元の世界のすべてを内包した、永遠に存在し続ける万物の起源こそ、神と呼ばれる宇宙誕生前の精神、そしてこれこそがあなたの本当の姿なのです。

この世界の我々は、ここにおいて自らの本当の姿を見い出すに至り、すでに生命としての第一の目的はクリアしたといえます。

スティーヴン・ホーキングは、アインシュタインの宇宙膨張理論を逆に辿ることによって、時空の始まる前の何もない、この自らの真実の姿に辿り着きました。そして彼はなんと、時空の中から見るとビッグバンは存在するけれども、外から見た場合には始まりがないことにさえ気がついたのです。そして、この真空の構造について虚数を使った波動関数であらわすことに没頭したのです。それは真空から我々の住む宇宙や空間、認識作用そのものがどうやって生まれてきたのかを解き明かす作業といえるものです。

神の姿は、すでにわかりました。それは無であり無限である、あなたという精神であるということも。しかし、ここで人類にとって最後の問いがただ一つだけ残ります。それはビッグバン、つまり、「あなたという精神の中にどのように時空が生まれでたか」という問いです。ここに至ってフォン・ノイマンが、人間の言語機能、思考能力では解き明かせないといった問題にあえて人類は挑戦し始めたのです。

今、あなたがここに生まれて生きている、そしてこのような本を読んでいる、こんな奇跡をいったい誰がどのように起こしてくれたのでしょう。

神を見つける旅から神になる旅へ

私たちの宇宙は、どのようにこの無の中から生まれたのでしょうか。

なぜ真空の完全なる対称性が破れ、どのような原因から新たに我々の宇宙空間が生まれる必要があったのでしょうか。

旧約聖書の始まりの言葉である「光あれ」とは、いったい誰が叫んでくれた言葉なのでしょう。まさしくその言葉を叫び、完全なる平安に満たされた神の中に物質空間を生み出してくれた者こそ、この世界の造物主《ぞうぶつしゅ》に他なりません。

それはいったい誰なのかという問題に、現代物理学は、実はすでに大きく踏み込んでいるのです。

二〇〇八年に、日本の南部陽一郎氏、小林誠氏、益川敏英氏の三人の物理学者が同時にノーベル物理学賞を受賞しました。この人たちが取り組んだテーマ「CP対称性の破れ」が、まさに「なにゆえ完全に対称性が保たれた無の宇宙の均衡が破れ、私たちの三次元宇宙が生まれてきたのか」という理論です。

しかしそれ以前にビッグバンの原因については、現代を代表する二人の世界的物理学者が、大胆でわかりやすい理論を発表しています。

そのうちの一人はウクライナ出身のユダヤ系ロシア人、アレキサンダー・ビレンケンです。そしてもう一人はイギリス人のスティーヴン・ホーキング。もしかするとすでに彼らの言葉は、民族宗教の教典の始まりに必ずある、宇宙誕生の神話に分類したほうがいいかもしれません。

これから紹介するこの二人の説は、少し前の時代であれば教会から火あぶりにされてもおかしくない、神の御業、神のみぞなしうる宇宙誕生の神通力《じんつうりき》について言及してしまっているからです。

なぜ、宇宙が真空から生まれたのか。それは実体のない真空が自分を認識するためでした。しかし、どのようにそれを起こしたのか。ノイマンが言語化不能と宣言するその御業、それを人類はこの先の科学のテーマとして探求し始めているのです。まさしく現在、「神の姿を見つける旅」から「自らが神へとなる旅」がすでに始まっているのです。

現代の神話~ビレンケンとホーキングのビッグバン理論~

まずはビレンケンの語る宇宙創造の神話から説明しましょう。

量子論では、ビッグバン前の真空の状態の中にも一種のゆらぎがあり、無とは完全なる虚無ではないといいます。それはすでに何度か述べました。ビレンケンはさらに、この真空の中にはもともとポテンシャルエネルギーがあって、エネルギーは基本的に自然の摂理によって高い所から低い所に流れていく性質があるということをヒントにします。

ビレンケンはこの考え方をベースに、真空の中に存在するエネルギーが障壁の向こう側へと突き抜けるという「量子論のトンネル効果」を例にとることによって、まだ素粒子も形成されていないゼロの状態からこの宇宙がポッと染み出すように無を媒介して生まれ、インフレーション（膨張の進展）を起こし、相移転を繰り返して今の我々の宇宙の大きさに膨らんだのだと主張します。

アレキサンダー・ビレンケン

無からポッと何かが出現するという現象は、半導体の中では当たり前に起こっているものので、量子の世界では特殊ではありません。

しかしいったい誰が、どこで、この「ポッ」という現象を起こしてくれたのでしょう。

一方、ホーキングの宇宙創造論は、こうした神話的仮説というよりも、波動関数として宇宙の始まりから終わりまでを数学的に記述しようとするところがビレンケンとは異なります。

彼は、「ノーバウンダリー・イズ・バウンダリーコンディション」、日本語に直訳すると「宇宙の時間と空間の始まる前には何も境界がなく、それがすなわち境界条件である」というコンセプトによって我々の生きるこの世界の範囲のある世界を実時間、そして時間の始まる前、すなわち宇宙誕生以前の無の状態を虚時間とし、その世界には形も境界もなく、それをマイナスであらわす虚数を使って表記しようと試みました。

虚数とは何か？

例えば目の前に沢山のみかんがあったとします。すると人は、一つのみかん、二つのみかん、三つのみかん、四つのみかん、五つのみかんと当たり前のように数えていきます。そしてそれは形になり、目で見ることも手で触ることもできます。何の疑いもなく人は、こうして数を数えて五感でそのものの実態を体験します。

では、マイナス五個のみかんといった時、それを目で見、手で触り、五感で体験することができるでしょうか。

また、マイナス一〇個のリンゴといった時、それは果たして、この世界のどこにあるのでしょう。では、マイナス一個のトマト、マイナス二個のレモンといったらそれはどこにあるでしょう。どこにもありません。物理的に一つの時空に存在できうるリンゴは常に、プラスの数である実数でしか存在することはできないのです。

しかし、この世界に形として存在しえない数やものを人間はあたかも存在するものとして扱うことで、この社会を運営しています。実はマイナスの数のリンゴやみかんは人間同士の精神の中に存在しているのです。

このように形にはなりえませんが、共通の意識の中に存在するマイナスの数を使うことによって、ホーキングは宇宙の始まりから終わりまでを表現できると考えたのです。実際には、すでにシュレーディンガー方程式にこの虚数は使われています。

精神の中にだけ存在する共通の数やもの、これが「虚数」です。自分の手の平の中にはなくても、意識の中にしっかりと存在している数字やものがあるのです。もちろん、これは人間にも当てはまります。

例えば、あなたが死んで肉体を失っても同じように今生、あなたという存在はあなたを知っていた人々の心の中には存在しています。実物としてのあなたはすでに死んでしまっても虚映となって人々の心の中には存在し続けるのです。しかし肉体はすでになく、一つの実世界とみなせるこの空間の中には存在していません。そう考えると、仮にこの宇宙がビッグクランチでなくなったとしても、この宇宙はビッグバン以前の精神の中には存在していることになります。

スティーヴン・ホーキング

また仮に、この宇宙が始まらなかったとしても、始まった場合の宇宙は真空の中にはしっかり存在していることになるのです。この宇宙が始まっていなくても、私たちの宇宙はちゃんと記憶の一つとして神の心の中にはあります。真空とはこのように境界もなく、終わりも始まりもありません。だから、あらゆるものを含むすべてなのです。

それは何も認識していないし、形も時空も認識もないので、あらゆるものであるのです。何かを認識したらそこから時空が始まり、真空は真空ではなくなり、その視点からその一部、実数となってしまうのです。

これが生まれるということであり、境界のある実時間が始まります。何かを認識すると空間を形成し、そこから実時間が始まり距離と時間と物質が生まれます。これが私たちの認識の世界であり、自然と時空という境界が生まれるというわけです。

しかし実時間が始まったとしても同時にこの宇宙のすべてである真空は存在し、我々実時間の側は同時にその虚時間である真空の中の記憶の一つなのです。真空のほうから見るとやはり、そこにはビッグバンもなく始まりも終わりもありません。何もない無なのです。この真空と、その中にある無限の世界の中の一つの宇宙であるこの世界との関係、つまり相補性のことを、ホーキングは虚時間と実時間という言葉を使ってあらわしました。

真空が何かを認識すると時空となり、その時空の中に形として生まれたあなたからは、この宇宙が何もないという真実を、言葉や形や公式として認識することはできません。しかし、その真空の中には、ちゃんとあなた自身も、この宇宙の発展も記憶として保管されているのです。このような究極の二元性をホーキングは「虚時間と実時間」と呼んだわけです。

本当の実世界と虚世界

しかし、ここでさらに考えていくと、なんとも凄いことがわかってきてしまいます。実際に物質としては存在していませんが、人間同士の意識の中に存在することができる数や形を虚世界というとすると、それを自分に当てはめてみましょう。

目に見える自分は、この世界には一人ですが、一〇〇人の自分、一〇〇〇人の自分……一兆人の自分……と、人間の共通の精神の中には無限人のあなたが存在することができます。

エヴェレットの多世界解釈のところで言及しましたが、創造できうる限りのあなたがこの宇宙には同時に存在しているのです。

さらに、ここまで読んできた人ならばわかると思いますが、私たちのこの宇宙自体が、実はビッグバン以前のあなたという一つの精神の中にあるのです。つまり、一つの空間の中で肉体をもつあなたは、自分のことを実数だと考えていますし、同じ空間の中にあるみかんやリンゴも実数だと思っています。

しかし、神である精神のほうのあなたから見ると、この空間の中にいる肉体であるあなたも含めて、すべての形になる存在は、自らの精神の中にある虚数なのです。

なんと、冷静に考えてみると、実数とは、形にならないすべての集合である一つの精神のほうで、その中にあるあらゆる宇宙のほうが、実は精神の中にのみ存在する虚世界であるのです。

ホーキングは、はじめに形にならない実数ではあらわせない精神のほうが先にあって、それには境界はなく実数になりえないものであるとしました。そして、その中に実数であらわせる無限個の宇宙があるのではなく、真空である精神の中にあるすべての世界、そのものが虚世界であり、虚世界の集まりである一つの精神を一個という実数と見なすことで、逆にその中にある無限個の宇宙の始まりから終わりまでを虚数と波動関数を使って計算式にあらわすことができないかと研究していたのです。

要は、我々の宇宙は外から見ると無であり、形や時間として見ることはできません。しかし、それが全宇宙の始まりから終わりまでのすべてがつまった状態なのです。

この状態を、マイナスを使った虚数ですべて計算してしまおうというのがホーキングの考え方です。なんと大胆な！

つまり、ホーキングは時間も空間も、形としての制約も何もない精神である神を、計算式であらわしてしまおうというわけです。まさにそれこそ、統一場理論・神の方程式と呼べるものといえるでしょう。

しかし、このあたりが数学やノイマンの指摘の通り、言語機能であらわせる科学の限界点であり、時空の始まり以前をあらわす言葉は、この時空の中から生まれでた数字や記号の並べ替えでは表現できないのです。虚数といえども然《しか》りで、真空を言葉や文字にしてしまうと、それはその瞬間から真空ではなくなってしまうのです。

こうして我々ホーキングの世代において、哲学者のヴィトゲンシュタインが言ったように、哲学とともに理論物理学は終了してしまいます。そして、この先はお釈迦様や聖者が喩えを使ってのみあらわすことのできる世界なのです。この時空の中の自分の存在さえ仮象であると看破《かんぱ》した人を、お釈迦様は「無我の境地に到達した者」と呼びました。

ブッダはこうした喩えを巧みに使って人々に悟らせるという方法をとって、この真空と無限の創造世界、そしてその関係性を人々に語りました。

お釈迦様の「教え」とは何か?

よくお釈迦様の言葉を「教え」といいますが、いったいこの人は何を教えてくれていたのでしょう。

こんな簡単な質問にさえ誰も答えられないまま、我々はただひたすらこの人の言葉を崇拝し拝みつつ、人類はここまできてしまいました。

友や身内が死に、この一つの時空から別の次元へと旅立つ時に、お経としてお釈迦様の言葉を唱えるのは、その教えがその両方の世界を超えたものだからです。その言葉を聞いて迷わずあちらの世界で成仏してください、ということです。

お釈迦様の言葉とは驚くべきことに、そうしたこの世とあの世の関係だけでなく、さらにその先、この宇宙誕生の奇跡についても語っているのです。

すでに人類が虚数などという概念さえ使って万物の起源を解き明かす最後の段階にまで辿り着いていることは、ここまでの章で理解していただけたと思います。しかし、それは物理学では無理だということもわかりました。これから先は、物質科学では答えを見出すことはできないのです。そこから先は悟りをひらいた聖者の領域なのです。

そしてお釈迦様とは、まさにこの最後の問いである「この宇宙はどのように生まれたのか」、この人類の科学では到達しえないレベルの世界を説明してくれていたのです。つまり「ビッグバンの起こし方」という人類の最終質問に対する答えを「教え」てくれていたのです。

ホーキングやビレンケン、そしてノイマンは、過去世にこうした聖者の弟子となり、そうとう瞑想をし、何回も解脱をしていたお陰で現代の常識にとらわれることなく、その意識をビッグバン以前の真空へと自主的に昇らせ、その視点から宇宙の始まりや神の仕組みを縦横無尽に悟る力をもって生まれてきていました。

しかし、さすがにまだ如来《にょらい》でない者たちが、神の御業そのものを理解し、直接言葉にして人に説明することはできません。時空の中の法則は計算式であらわせても、外にある法則はなんとも言葉であらわすことができないのです。なぜなら前の章でもいった通り、無を言葉にした途端、それは無ではなくなってしまうからです。真空が真空であるためには何も認識してはいけないのです。人類は今、ちょうどそんな神の姿そのものを理解し、さらに宇宙のつくり方を解明しようとする最後の段階へと辿り着いたというわけです。

そしてお釈迦様は、それは言葉であらわすことはできないものではあるが、「瞑想によって解脱を果たせば、悟ることができる」ということを教えてくれました。

昔のお坊さんたちは、その教えを学ぶため海を越え、山を越え、命をかけて、お釈迦様の教えを記録した経典《きょうてん》を求めて旅をしました。そして、それをすべての人たちに聞かせようとしたのです。日本にその教典をもってきてくれた鑑真《がんじん》は、その困難のうちに目を患《わずら》い視力すら失ったのです。お釈迦様の言葉がこの世でもっとも尊いものとして扱われてきたのはこうした理由なのです。

真空とはあなたの内面性のこと、そしてこの世界もその中にある思考の一つ

もっとも簡単にわかりやすくいうと、ビッグバンの始まる前の真空とは、あなたの内面性のことで、この世界はその中にある思考の一つです。

日常あなたはいくつも自分の頭の中に色々な世界を創造しては消し、何かを思う度に他の平行世界を生みだし、覗《のぞ》いているのです。その思考をすぐにあなたが再び脳裏から消し去り、また別なことを考えたとしても、消し去った思考の中の世界はあなたの内面性の中でしっかりと存在し、時間を進めています。

この世界もそんなあなたの脳裏に出現しては消滅を繰り返す思考の一つなのですが、中に入って肉体として成立すると、その中ではしっかりと時間が流れ、世界は存在し続けています。

そして生老病死《しょうろうびょうし》があり、人間たちが暮らし、なんでこの宇宙は生まれたのか、などと哲学しているというわけです。

また、夜、あなたが見る夢の世界も、あなたが目覚めた後もちゃんとあなたの内面性の

中では続いているのです。あなたが死んで肉体を失い、この世界から外に行ってしまい真空に戻ってしまった後も、この世界はその後もしっかりと続いています。

この世界も、あなたという精神の中にある思考の一つにすぎないからです。真空であるほうのあなたが本質的なあなたで、この世界で肉体をもつと、まるでビッグバン前の精神が自分の内面性の内側にあるように感じます。しかし、だからあなたは日常この仕組みを使って何でも考えることができるのです。

一つの時空にある肉体のほうがあなたの本質であれば、あなたは何も考えることはできません。ビッグバンの始まる前の精神のほうがあなたなので、そこから自由自在に様々な世界を取り出し、一つの思考として眺めることができるのです。

宇宙とはまさに人間の心の仕組みといえます。この仕組みのお陰であなたはいつも何でも考えることができ、一番よい思いを実現していけばよいのです。そしてその最良の思いとは、自分とは何かを探求し、解明することなのです。

それを探すために真空であるあなたは、ひとときこの世界をつくり、そこに肉体をもち、そこから自分とは何かを探求しています。

つまり、形をもち境界をもっているこちらの世界が、虚世界で、境界も何もない真空のほうが実世界というより、あなたそのものの本当の姿なのです。

ホーキングも、実はわかっていたのですが、あえて時空の中の我々に合わせて、逆にいっています。なぜなら真空のほうを実時間といってしまうと、そこから宗教として扱われてしまうからです。しかし、新しい時代の科学は、確実にここから始まるのです。

ローマ法王とホーキング

キリスト教の拡大とともに西洋の歴史、及び人間の価値観の統制に関し、絶大な権力をもち続けてきたバチカンは一九八一年、教会が主催する宇宙論会議にスティーヴン・ホーキングを招聘《しょうへい》しました。

かつてジョルダーノ・ブルーノを火あぶりにし、ガリレオを軟禁したバチカンは、天国の在り方についてホーキングに意見を聞こうとしたのです。

かつてのような教権を世間に行使できなくなったバチカンは積極的に最先端の宇宙論を

取り入れ、自己の教義に組み入れることが時代の必須となっているのです。

バチカンにいわせると、ビッグバンモデルは「光あれ」という聖書の天地創造の言葉とリンクするそうで、この理論をことのほか気に入っているそうです。そのため、当時、ホーキングが相対性理論から導いた「特異点」という考え方も、ビッグバンによる宇宙の始まりをより確かなものにする素晴らしい理論であると認めたのでした。

ガリレオのことを思うと複雑な心境になるといいながらも、その時ホーキングは教皇庁科学アカデミーへと出かけていったのでした。

そしてローマ教皇は、彼に会うとまずこう言われたといいます。

「ビッグバンの起こった後の宇宙の進化を研究するのはよろしい。しかし、ビッグバンそれ自身を調べてはいけない。それは宇宙の創造の瞬間であり、神の御業なのだから」

ホーキングはこう言われて内心ヒヤッとしたといいます。

なぜなら彼がこの時世間に発表していたのは、すでに特異点理論を超えた「無境界仮説」であり、それは宇宙の始まりであるビッグバンを避けて、その前の何もない真空の領域についてを虚数を使って語ろうとするものであったからです。

しかしその時、幸運にも彼は拘束されることなく無事教皇庁を脱出、いや、後にし、再び我が家へと戻ることができました。

なぜなら、この理論は難しすぎて、その時教皇庁の誰ひとりとして理解していた者がいなかったからだと、後に人々は語りました。

宇宙の本質、つまり我々の生命の実体とは、ビッグバン以後の形になる世界ではなく、それ以前の時間的、空間的境界も何もない真空の状態なのです。

彼が後半生をかけて取り組んだこの理論は、アインシュタイン第一の予言「物質とはエネルギーである」の本質を裏付けるものであり、二一世紀の新しい科学を構築する上での土台となるものです。

これまで我々の科学が扱ってきた領域とは、教皇が言う通り、ビッグバン以後の形となる世界を形成する法則でした。しかし、ホーキングの世代となり、科学は法王の意向を遥かに超えて、ビッグバンの起こる前の真空をベースとした新しい科学の領域へとすでに歩みを進めています。

それはまぎれもなくアインシュタインが求めた「神の心」そのものの世界であるのかもしれません。果たして真空とは何なのか。それが生命と宇宙の本質というものなのか。

アインシュタインは、それは場の集合であるという発想をもとに、人生の後半のすべてをこの真空の性質を語り切ることのできる「統一場理論」の探求に没頭しました。

さらにホーキングは、それは無境界にして果てのないことを特徴とし、虚数を使って一種の波動関数であらわすことができるのではないかと考え、アインシュタインの求めた同じ統一場理論をホーキング流に探求を続けたというわけです。果たして真空とは何なのか。

人類のテーマはバチカンの思惑を超えて、すでに神の領域へとその手を伸ばしているのです。

第４部のまとめ

●**神の姿**……認識になる以前の真空の状態、この本の中では無、精神、空、そして同時に「無限」といった言葉であらわしています。

●**収縮**……真空が物質化するその瞬間。ノイマンは、それはあなたの精神の中で起こったと気がつきました。

●**なぜ宇宙は生まれてきたのか**……生まれてきたわけではなく、真空の中にはじめからあった世界の一つがここです。

●**グナナ（解脱）**……個人の意識を全体を統一する真空に同化すること。すると物欲から離れ、未来に対する恐れを克服し、心地よい気持ちで生を送れます。この状態になると不確定性原理と資本主義から解放され、本来の生命のもつ喜びの中に生き始めます。

●**リサ・ランドール**……一九六二年ニューヨーク生まれの女性物理学者。ハーバード大学とプリンストン大学から終身在籍権を与えられました。この宇宙は多次元多世界構造でできていて、その世界をワープすることが可能だと主張します。

●**量子テレポーテーション**……平行している世界と世界を物質が行き交うこと、実はすべての生命は一瞬一瞬これをしているので存在として自分を認識しています。

●**ＣＰ対称性の破れ**……物質と反物質の均衡が崩れ、物質の世界が生まれること。

●**スティーヴン・ホーキング**……病気で身体を動かすことができないにもかかわらず、逆に人類でもっとも広い宇宙をその意識の中で行き交いしている人。

●**アレキサンダー・ビレンケン**……もともと生物物理の研究をしていたが、後に宇宙論に興味をもつ。「無からの宇宙創生」という論文で新しいビッグバンモデルを提唱しました。

●**ビッグバンの起こし方**……起こったという現象自体が時空の中にしか存在しない概念。

●**実世界**……ビッグバンの起きる前の何もない状態。一つの精神。

●**虚世界**……精神の中にのみ存在する世界。そこには創造可能なあらゆる生命・宇宙・数が存在する。そのうちの一つがこの世界で、そのうちの生命の一つがあなた。

●**無我の境地**……自分がビッグバン以前の精神の中にある仮象であるということに気がつくこと。

●**お釈迦様**……無限の宇宙に存在している如来の一人。私たちの世界を通して真空とは何かを解き明かしてくれる人。

●**教え**……如来のみが語ることのできる、宇宙のもつ無と無限の関係性を解き明かす言葉。

第5部

真空がもつ様々な性質

あなたの姿とは

この本を読んでみて、人間の科学がこんなに発展していることに驚いた方も多いと思います。科学はすでに人間の知覚作用や言語能力を超えた領域を扱い始めているのです。

今からわずか一〇〇年ちょっと前には、ビッグバンなどという言葉はもとより、私たちの住む宇宙空間が膨張している、同じ空間の中にいるのに個人個人が別々の時間を生きている、あるいは空間が惑星のもつ重力によって歪んでいる――そんな発想など、この世界にはまったく存在していませんでした。いいえ、今もこのような事実にまったく気づかずに生きている人がほとんどでしょう。

しかし、アインシュタインの出現以来、人間の知性は一つの時空を超えて、存在の源である無の領域へと軽々と辿り着き、この世界が、いいえ、我々人間自身が物質ではなくエネルギーの一形態であるということさえ立証してしまいました。

さらに量子論は、宇宙の始まる前の無が何もないという無ではなく、逆にあらゆるものの集合体であるという真実と、その真空こそが創造できうるあらゆる世界をつなぐ神の姿だということを明らかにしたのです。

真空の中に重なり合っている平行世界は目には見えませんが、無限人の自分がこの空間にいて、それらがすべて連鎖し合って発展と進化を分かち合っています。

目の前にいる友人、家族、すべての人たちとは、あなたの分身の一人ひとりなのです。さらに他の宇宙にいて、肉眼では見えない存在たちに至るまでがすべてあなたの分身なのです。これらすべての生命たちが自らの本当の姿を追い求めるというたった一つの進化を共有しています。そして、これこそがまぎれもなく、この宇宙の姿なのです。それが、あなたという精神、生きとし生けるすべてのものが共有する、あなたという神の姿であったのです。

人間はその知性において二五〇〇年の探求の末、このような自己の真実の姿を科学の目を通して捉えてしまったのでした。

真空の活用法

人類はついに神の姿を捉えることができましたが、実際には、その性質や活用法については、やっと研究が始まったというところです。

繰り返しますが、この世界の人間は神の活用法の一つとして素粒子加速器というものをつくり出しました。そして、人工的にビッグバン以前の「無」をつくり出し、平行する他の世界から何かを意図的に取り出すことができるかどうかという実験を始めています。

また、人為的に平行する空間から空間へ移動するといった、量子テレポーテーションの実験も進められています。これは一見、特別なことのように聞こえますが、実際にはすでに半導体の中の極微の世界では、こうした「無」がもつ性質が実用化されトンネル効果という現象を用いて、無から意図的に情報を取り出し活用しているのです。こうした「無」を通したテレポーテーションの技術は、ミクロの世界では日常的に行われている出来事なのです。ビレンケンやホーキングの発想は半導体内部の微小世界においては、すでに実用化しているものなのです。

これこそが、二一世紀初頭の現在において我々人類が辿り着いた段階です。そして、この技術を私たちが日常において使いこなせるようになることが、まぎれもなく二二世紀以降の人類が取り組むべき神の科学、真空の科学といえるものなのです。

人間は、地球規模の航海へと向かい、蒸気機関の発明によって鉄道をつくり、この惑星の上を自由自在に動き回れるようになりました。さらに、月や火星といった近隣の惑星へ人や機材を運べるまでに技術を進歩させてきました。そして今度は重力の壁を超えて、一つの宇宙から別の宇宙へ旅をする時代に辿り着いたのです。

人間が見つけた神とは、時間にも空間にも縛られることのない「無」であると同時に、ありとあらゆるものの集合体です。さらにそれは精神の中に存在する創造可能なあらゆる世界とつながり合っている、形にならない一つの場の集合体と呼べるものなのです。

しかし、あなたの真実の姿、つまり神の姿と性質がわかってきたとはいえ、アインシュタインが求めたその心、すなわち、この本の最終到着地である「神の心とは何か」へは、まだ到達していません。あえていえば神の心とは、「宇宙とはなぜ、このようになっているのか？」という問いかけの答えです。その問いの答えは、人類にはまだ見えてきていないのです。

あるいは、時間と空間を超えてあらゆる世界を旅することができる時代になっても、それは理解できないものなのかもしれません。

ここからしばらくは、真空の活用法を考える上で欠かせない、その性質についてもう少し考えてみましょう。仏典をベースに、お釈迦様の語る真空の性質をピックアップしてみました。

相対論と量子論ではまだ扱っていない、いくつかの点を研究していきます。それどころか、ここから先は私たちの文明ではまだ言葉として扱ったことがないレベルの世界なので、どうにも言語では表現しづらいのですが、あえてこの章を設けました。この後に続くお釈迦様の宇宙像を理解するためには欠かせない感覚だからです。

物理学的な書き方をしていますが、実はここに書いてあることはすべてあなたの精神、いえ、あなたという精神とその中に浮かぶ思考、つまり虚世界との関係性について説明したものです。この世界も、あなたという神の中にある無限の仮想世界の中の一つにすぎません。

真空の性質

1　宇宙が存在する目的

ここまで、この本を読んできて、この全宇宙が真空とその中にある無限の思考の集合体であるという二面性でできていることがわかりました。では、思考はなぜ生まれてくるかといえば、それは何かを思い出すために生まれてきます。神は自分とは何かを思い出すために、自分の中に教え切れない程の思考をもったわけです。その集合体が真空・神というわけです。

このすべてがあるということが同時に何もないという完全に矛盾した相補性が、宇宙の根本的性質であり、理由はないのです。何もなかったために、すべてがあったのです。それが神の姿というわけです。

そして神が思い出そうとしていることは言うまでもなく、自分が神であるということです。いったいそれはどういうことなのか。それを解き明かしていくことが神の中にあるすべての世界にとっての科学であり、進化であり、人類はその探求の末、ここまできました。そして、まずそれは形にならない真空であり、同時に無限の思考を内に抱える全能の姿ということを理解したのです。

しかし、その思考の中にある一つの世界の住人である我々は、神がもともとこの世界を自分が神であることを思い出すためにつくったという宇宙全体の目的を忘れ、なんとその思考の世界の中に資本主義などという社会をつくり、本来の目的から大きく外れ、なんとその中にあるお金や権力や土地の奪い合いを始めてしまい、本来の存在の目的である「神の心とは何かを探求する作業」を忘れてしまったのです。まったく困ったものです。

しかし、そんな間違った世界になっても、この宇宙は神が自分とは何かを思い出すためにつくったものであるため、その目的に適した生き方、神の理《ことわり》にかなった道を探求する人たちのことをこの世界では聖者といい、世の中でもっとも尊い人として崇められます。

お釈迦様やイエスはいうに及ばず、アインシュタインやニュートンが尊敬されるのも彼らの人生がこの神の目的にかなっているからです。この宇宙の性質や仕組みはすべて、この目的のためにあるのです。

生命とは、タンパク質やアミノ酸が勝手気ままに融合を繰り返してできた存在ではなく、みなこの目的に従ってでき上がったものなのです。

真空の性質

2　今という瞬間は形にならない

まず、神であるあなたは、形にならない自分とは何かを解き明かすために、形のないほうの自分を発見してくれる、形になった自分の分身をつくらなくてはいけませんでした。そのため神は三次元という時空をつくりました。時空とは何か。一つの時空は、場という広がりを通してしか体験することができません。

場の中では距離が存在し、対象物が必要になってきます。すると、物の推移である時間が生まれてきます。

つまり、何かを映像として認識するということは、空間と物資と時間が一致しないとその対象を

真空とは何かを探究し続けた面々
（ソルベー会議―1927年）

視覚で捉えることはできません。これがアインシュタインの考えた相対論の基本でもあり、ここから「時空」という言葉が生まれました。さらに相対論ではこの三次元世界では人間の視覚、つまり人が物を認識するスピードは秒速三〇万キロメートルの光の速さとなります。すると面白いことがわかります。

例えば、あなたの一〇〇メートル前に山があったとします。あなたがその山に気づいて目で見た時、その山はすでに約三〇万分の〇・〇〇〇……一秒前の姿となるのです。

第2部のアインシュタインの話で、太陽の姿を地球の上で見た場合、それは八分二〇秒前の姿であると説明しました。距離がある以上、地球上にあるものの姿も、目で捉えた時、それは実はわずかではありますが、すべて過去の姿ということになります。

それどころか、そうなるとあなたが自分の姿を形として認識する時、それはすでに過去のものだということがわかります。つまり形になる世界とは、それが物質性をもったこの三次元であれ、死んで意識の状態に戻った五次元、六次元やあるいは七次元の世界であったとしても、自己を質感（クオリア）として認識する限り、その世界そのものがすべて過去ということになります。つまり今という瞬間は形にならないのです。今という瞬間は、いかにしても形にはなりえません。

そして形にならない今というこの瞬間こそが、あなたの精神の全体像であり、あなた自身の本当の姿。すなわち、時間と空間を超えたビッグバン以前のあなたの実相、真空という状態なのです。すでに前半で扱ったテーマを、ここで再びおさらいしました。ここから生まれるさらなる性質を、次に説明するためです。

真空の性質

3　すべての生命は神の過去世

真空の性質1と2で、何もないということがすべてがあるということであり、同時にそれが今という瞬間であり、それが宇宙の全容であるということがわかりました。そして、その中にある形になる世界はすべてその過去ということもわかりました。

無であるあなたの中にある無限の創造世界とその中に生きるすべての生命は、すべてこの時間という尺度で見た場合、神であるあなたの過去世ということになります。

時間も空間も超えた形をもたない神であるあなたのほうから見ると、三次元に肉体として生まれ、形として認識している人間の姿をしたあなたは、神の過去世の姿ということになります。

神も昔は人間だったのです。それどころか、生きとし生ける生命は、すべて神の過去世であり、永遠にその一部であるのです。

そして神の無限にある過去世の一つが今、この三次元世界に生きているあなたなのです。何も気づかずつまらない事ばかりしていたとしても、あなたはれっきとした神の過去の姿なのです。そして同時に、ビッグバンの始まる前の形にも、時間にも、空間にもなっていない無の状態、これのみが正真正銘の「今」という瞬間で、それが形にならないあなたのもう一つの本当の姿なのです。あなたは、神であると同時に一人の人間であるという状態を同時に生きています。

形にならない今というあなたと、形になっている過去のあなたが同時に存在している。これも量子論的相補性なのです。この真実に気づき、神であるほうの自分を悟ろうとすることを進化するといいます。

真空の性質

4　すべてが自分の分身

二面的存在であるあなたの、今という瞬間のあなたは形になりません。それは、あなたという精神です。それが本当のあなたで、肉体のほうはこのなにものでもない自分を認識するためにつくった仮のあなたの姿なのです。そのため寿命があり、一定期間で別なアイデンティティーへと変化します。

あなたも、そして生きとし生けるものはみな、今という形にならない神の中に生きる過去の姿なのです。そこから神であるほうの自分の姿を見ようとしているのです。見るというより「悟ろうとしている」といったほうがわかりやすいでしょう。

例えば今、私たちの周りには自分とは別にたくさんの人間たちが生活しています。国をつくり民族に分かれて企業やお金というシステムでつながり合い、対立し合いながらも、この一つの時空をなんとか共有して生きています。

しかし真空のレベルでは、別々の肉体をもって生きている人間、動物、別の平行世界の生命のすべてを含む生きとし生けるものたちすべては、分離不可能なたった一つの同じ生命なのです。

神と呼ばれるこの精神は自己の内にあって、あらゆる自分の過去に生きる生命たちを、等しく、自らの形にならない本質的な姿に気づかせ、その意志を理解させるべく存在しています。それが神の心であり、地上においてこの神の心を実践する人たちを聖者といいます。一介の物理学者であるアインシュタインを、とあるキリスト教宗派は聖者の序列に加えていますが、その理由はここにあります。彼は神の立場からこの世界の人々に、この宇宙の真実を教えてあげているのです。

しかし、この世界の人間は本来のその目的を忘れ、この仮想世界の中に本来ありもしない権力や価値をつくり、対立し合い奪い合いを始めてしまったというわけです。

その真実をこの空間の中に生きる人々に教え、再び自分たちの本質的な真空の姿に気づかせ、そこへと回帰する仕組みを人間世界に広めることを伝道といいます。そしてそれが本来の人間とこの社会のあるべき姿、「神の心」そのもののことなのです。

真空の性質

5　過去も未来も同時に存在している

このように考えていくと、視覚で捉えることのできる世界とはすべてが過去であり、横に並んでいる平行世界も頂点にある真空から見た場合、すべて過去ということになります。

ビッグバンが始まる前の「無」の中には、無限の創造世界が入っています。それらは神であるあなたの精神のほうの視点では、すべて同時に平行して存在している過去の世界なのです。

しかし、この時空の中に身を置き、五感を通して生活している肉体の自分から見ると、別の平行世界は過去世か未来世のいずれかになります。

過去世は今生の自分というキャラクターや時代設定などを成立させる原因となり、この人生から見た次の人生は未来世ということになります。

この仕組みに気づかず、生まれ変わりの連鎖から抜け出ていない人は、この終わりのない仕組みの中を欲望の赴くままに輪廻転生《りんねてんしょう》し続けることになります。つまり永遠に神になれずに、愚かな人間や下手をすると動物になったりしながらグルグルと廻っていくだけなのです。

かつてお釈迦様は、「この輪廻転生の仕組みから抜け出ることが第一の目標である」といいましたが、そこからまだ抜け出ていない人たちにとっては、過去や未来、生まれ変わりが存在していることになるのです。

そのために「今の人生で一生懸命頑張って、来世にはもっと優れた人間になろう」、あるいは一つの人生の中で、「一年後に成功しているために今、頑張ろう」「良い大学に入ろう。良い会社に入ろう。頑張ってお金持ちになろう」といった発想が生まれます。これを現世における努力といいます。

また「今回、この人生において自分が病気や不幸に見舞われているのは、過去世に悪い所業をしたせいである」などといった発想も生まれてきます。

この状態は、言い換えるとアインシュタインの「光速度不変の原理」に縛られている状態ということができます。それに対し、この束縛から抜け出し、創造世界の集合体である時空にとらわれない、形にならない本当の自分を悟る状態をグナナ（解脱）といいます。

真空の性質

6　光の速さを超えた世界

アインシュタインは、この世には光の速さを超えるものは存在しないと語りました。これは当時、彼が信じた相対性理論の骨子でもあります。確かに、物質が光の速さを超えてしまうとそれはもう物質ではなくなり、時間と空間の枠をつくらずいつでもどこにでもある状態になってしまいます。それが意識そのものの状態というものです。

それはつまり、あらゆる場所に同時に存在するという状態です。確かにこの世のものではありません。時空を形成すると、その中には時間と距離と生老病死といった法則が成立しますが、その外には法則は何も存在しません。

一つの世界に身を置くと、すべての世界を同時に体験することはできません。目で見ることもできません。しかし、光に速さが存在すること自体、それを超えた真空という普遍的な状態があることになるのです。

一つの時空に生まれ、人間生活を通して色々な体験をして、より進化した世界や進歩したひらめきにつなげていくことを魂の成長といいます。そして、もっとも成長した魂の姿を神というのです。それが時間も空間も光の速さもすべて超えた全能の状態、真空のことなのです。

真空の性質

7　始まりの問い

真空のもつその性質の中で、もっとも不思議なものをここに載せておきます。真空、つまり神とは、完全に完成されていて、もうこれ以上ないというところまで進化しきってしまった存在です。

その姿が「無」であり、同時に「無限」であるということはわかりました。

仏教的にはこの状態を「静寂」、あるいは「平安」といいます。このように、完全に静寂で均衡を保った状態がなぜ破られ、私たちのいるこの宇宙が生まれたのでしょうか。

これは、いわゆる「始まりの問い」というものです。

空間の側に住む人間からはどうしても解き明かすことのできない、宇宙に対する問いです。

この問いは、三次元的な言語や数学を使った方程式では説明することができません。また、哲学では言葉であらわせない何もない状態の中に始まりや終わりがあるという概念そのものや、「無がある」「何もない状態がある」という表現自体がすでに矛盾をはらんでしまっています。ですから、言葉では解答できません。

ノイマンは宇宙の始まりは人間の認識を超えたレベルであり、言葉や自分という自覚が生まれた時点で、それはすでに過去に位置するものになっていると語ります。

しかし、あえて三次元の言葉でいう「始まり」を設定すると、面白いことにそれをつくった「その前の始まり」が存在することになるので、人間の意識の中で永遠に終わることのない堂々巡りが始まってしまうのです。

宇宙の始まりをつくった神の存在があると設定すると、その神をつくったその前の神が必要になってきます。その神を設定すると、さらにその神をつくったそれ以前の神が必要になってくるのです。そしてまた、その前の神、その神をつくったその前の神……といった具合に、終わりなく続いてしまいます。

このように時空の中に生まれた人類の言語機能では、この始まりの問いをどうしても言語化することはできないのです。そのため、ホーキングなどは真空そのものを無境界、つまり無限とあらかじめ設定して、そこからすべてを定義する視点に立ってしまっています。

ホーキングのこの視点は、この宇宙ははじめから何もなく何も始まっていないのです。そして、それが同時にあらゆる瞬間、もの、世界、はじめから終わりのすべてがあるという状態で、それをホーキングは波動関数であらわそうとしたのです。

お釈迦様は、このホーキングが立った何もない真空の視点のほうが我々の本質で、実際には形や映像でとらえることのできるこの世界のほうが儚《はかな》い虚世界であると語っています。

ホーキングもアインシュタイン同様、すでに神の視点に立ってしまっていたのです。

ホーキングは、お釈迦様的にいうと、すでに無我の境地に達してしまった人です。

お釈迦様は無我の境地に達した人とは、どんな人かをこう説明しています。

この世に存在するものは、実在しないものであり、生じないもの、生まれてこないものである。それらは本体がなく、動きもないが、常に実在する。何もないということのほう

が生命の本質であり、人間は意識の転倒によって、有と無とを、また実在と非実在とを誤って考え、起こらず生じなかったものが生じて実在すると、逆に考えている。賢者とは人間という状態にいながらも、この世の一切のものが虚空であるということを見分けるべきである人である。

『法華経』「安楽行品《あんらくぎょうほん》」

真空の性質

8　宇宙の頂点から見える世界

今から二五〇〇年前の昔には、量子力学も相対性理論もまったくありませんでした。また、この文明そのものがまだほとんどそういった科学と呼べるようなものをもっていませんでした。

そのため、お釈迦様は当時オリジナルの言葉やキャッチコピーを独自につくり、弟子たちにこの我々の本当の姿である真空について様々に語りました。

最後に、現代物理学が辿り着いたビッグバン以前の視点からこの虚世界である創造世界を見下ろし眺めた状態と、お釈迦様が同じ宇宙の頂点からこの創造世界を眺めた状態を語った言葉をそれぞれ並べて比較してみましょう。

それは進化しきった神が、自らの内にある虚妄の世界をのたうち回る一切の生命たちの姿を見下ろす視点といえます。

「ビッグバン理論」の著名な日本人学者である東京大学大学院名誉教授の佐藤勝彦氏は、この精神の中にある無限の世界の像についてこう語ります。

「宇宙に誕生した『子宇宙』や『孫宇宙』のあるものは、我々の宇宙と同じように進化している可能性があり、お互い同士はある領域でつながっているかもしれないのです。

そして、そんな無限に存在する宇宙には、知的生命が生まれる宇宙もあれば、そうでないものもたくさんあることでしょう。その生命が人間のような形態をとっている必要はまったくありません。ガス状の生命かもしれないし、逆に原子核のような小さく硬いものであるかもしれません」

そして、お釈迦様は佐藤勝彦氏が、この宇宙の実相に気がつく二五〇〇年前に同じ情景をこう語っていました。

この四〇万アサンキェーヤ（阿僧祇《あそうぎ》）という世界に生存している、六種の運命を辿る者たちとは、卵生のもの、胎生のもの、湿気から生まれたもの、自然に生まれたもの、あるいは形のあるもの、形のないもの、良心のあるもの、良心のないもの、非想のもの、非想でないもの、あるいは足のないもの、二足・四足・多足のもの、こうした創造できうるあらゆる生命たちがこの創造宇宙には存在している。

『法華経』「随喜功徳品《ずいきくどくほん》」

こうしてきっちりと並べてみると、現代科学の辿り着いた最先端の宇宙のビジョンとお

やっぱり神は偉かった。私たちではその御業はわからない。
（ソルベー会議―1911年）

釈迦様が二五〇〇年前に悟ったこの宇宙の姿とがまったく同じであるということがわかると思います。そして、これがあなたという精神、真空であるあなたの内側にある仮想世界の全貌というわけです。

ビッグバンが始まる前の時間も空間もない無の中には、創造できうるあらゆる生命、世界が意識として実在しているのです。あなたはどの世界にも、どんな生命にも自由自在に生まれ変わることができますし、そこからすべてを悟った真空に戻ることも自由なのです。

我々のこの宇宙も、そんなあなたの心の世界の中にある一つの世界なのです。

真空の性質

9　神の心とは理屈ではなく悟るしかない

アインシュタインやスティーヴン・ホーキングが、そこに知性の限りを尽くし自らが使いこなせる計算や公式を使い実証しようとしたものとは、この神の姿（真空）なのです。

しかしそれは言葉で言いあらわすことができず、一つの境地として体得していくしかないものなのです。

物理学ではθ（無限大）と０（無）があらわれると、その先へは進めなくなってしまいます。すると、そこで物理が終わってしまうので繰り込みなどというズルをして適当な公式をつくり、全宇宙の実相とは合ってもいないのに、強引に当てはめてしまっているのが今の物理学なのです。あえて公式を当てはめてこの宇宙の全容をあらわすとしたならば、０＝θ（何もないということがすべてであること）となるでしょう。それはつまるところ空即是色というお釈迦様の考え方の基本となってしまいます。

ここから先のその性質、つまり０（空）とはθ（無限大）とは何かという言葉を超えたレベルの領域を扱うことに関して、人間の計算術や言葉にできる概念そのものは破綻します。ここから先を「悟りの世界」という由縁です。超人的な武道家が長年修業して特別な技を体得したとします。しかし、その技を他人に教えようと思っても言葉で伝えることはできません。それでも、それを成しうる境地というものは、確実に存在しています。

例えば王貞治さんがホームランの打ち方、その境地を公式や言葉でそのまま他人に教えることはできません。しかし、王貞治さんにはそれがわかるのです。このようにそれがわかるという境地というものは言葉や方程式ではなくて、長年の努力の末に身体で覚えることなのです。これを体得、悟りといいます。

この宇宙とは何か、「神の心とは何か」という問いの答えもこれとまったく同じ理屈で、人にそのまま言葉で伝えることはできないものなのです。それは長年の探求と実践によってのみ、体得できるものです。

「神の心」を理解し、喩えを使って人を悟らせるだけの力をもつためには、長年どころか、何度も生まれ変わってブッダの教えの伝道を続け、最後にその教えの言葉の真の意味を心と身体で体得する、まさに「悟り」と呼ばれるものなのです。

第5部のまとめ

●**あなた＝真空＝神＝精神**……この四つの言葉は同義です。この四つの言葉が一つのものと理解できた時、あなたは新しい世界に生きることになります。

●**タンパク質とアミノ酸の融合**……生命の始まりといわれる現象。

●**神の姿**…ビッグバン前の何もない状態、そしてそれが同時に無限のビッグバンとあらゆる量子的瞬間、宇宙、創造できうるすべてのものを内に含んだ、いわゆる神という状態なのです。あなたも心を澄まして瞑想をすると、この自分の本当の姿が見えてくるはずです。

●**神の活用法**……活用法が何かというと、電化製品の説明書のように聞こえるかもしれませんが、今も人間は空気を吸い、自然の食べ物を食べ、子供を産み育て、その生活のすべてで当たり前のように神を活用しています。

●**今という瞬間**……物理学というものを追っていくと、自分が実は実体も何もない存在であるということに辿り着いてしまいます。過去や未来というものも実は五感のつくる錯覚で、本当はあなたも私も何もない無だったのです。ここから先がお釈迦様の講義の始まりです。

●**時間、空間、距離（形になる世界）**……形で物を認識する場合、そこには一つの映像が存在し、自分という位置が決まります。すると、時間と空間と距離が存在することになります。アインシュタインはこれを「場」という言葉であらわしました。

●**すべてが自分の分身**……目の前にある山や川や他の人や自動車や犬の糞まで、大きな目で見ると自分の分身ということになります。あまり一緒にされたくない人や物もありますが、なるべく肯定的に受け止めましょう。

●**神の目から見ると過去も未来も同時に存在している**……時間と空間から抜け出た視点。そこから見るとひもが見えるという人もいます。

●**キャラクターや時代設定**……形になると必ず時代設定が生まれます。人間であったり犬や山や川であったり、お化けやグロテスクな生き物であったりと、それがあなたであったのが今の自分というわけです。

●**生まれ変わりの連鎖**……要するに「金、地位、名誉」などといっているうちは、下らぬ形になる七次元までの世界をグルグルと生まれ変わっているだけということです。

●**光の速さを超える**……光の速さを超えると意識になってしまいます。時間、空間、距離がなくなり、どこにでもいる状態、すべてを知っている状態、未来も過去も、そして生まれ変わった自分や過去の自分、そのすべてが集まった状態が光を超えた状態であり神であるという人もいます。

●**始まりと終わり**……物理次元にのみ存在する考え方。時空の中から見ると始まりがありますが、時空の外から見ると始まりも終わりもありません。私たちの空間には始まりがありますが、これがないとこの物質世界が存在しないことになってしまいます。スティーヴン・ホーキングは、これを避けるために虚時間という概念を設定し、あっちの世界へと入ってしまいました。

●**仏法**……真空とは何かを解き明かすブッダの教え。空の世界の法則。スティーヴン・ホーキングは、虚時間という設定のもと、この世界に我々より一足早く入ってしまいました。

第6部

お釈迦様の語る宇宙像

菩提樹

この本を読む人であれば、お釈迦様についてもすでにかなり詳しく知っていることでしょう。

今から二五〇〇年前に現在のヒマラヤの麓《ふもと》、ネパールの近郊にあったカピラバストゥという場所に首都を置く釈迦族という小さな部族が営む王国の皇太子として生を享《う》けました。

幼少より霊的感性に優れ、誰から教えられることもなく瞑想を始め、「いったい宇宙とはいかなる意志によって運営されているのか」「なにゆえ宇宙が生まれたのか」「なぜ宇宙が生み出した人間が苦しまなければいけないのか」、こうした形而上学的探求心がとどまることなくその心を占有していきました。

アインシュタインが「神の心とは何か」、その答えを生涯求めたように、お釈迦様もまた、存在の根本的問題の解決に人生のすべてを捧げたのでした。そして、後にその答えを求めて家族や王国の後継者としての地位の一切を捨てて出家してしまいます。

お釈迦様は、アインシュタインやボーアが科学の道を通して外の世界に言葉と公式を使い、その答えを求めたのとはまったく別の精神の道を探求することで、その答えを見出そうとしたのです。そして長い苦行の末、ガヤーという町の川のほとりにある菩提樹《ぼだいじゅ》の下で、瞑想の力を使ってこの宇宙の仕組みの一切を体得し、悟ったのでした。

それは、ジョン・フォン・ノイマンが指摘した言語機能を超えた宇宙の本質、精神の構造でした。

この本をここまで読み進めてきた人であればわかると思いますが、その悟りとは次の通りです。

現代物理学風に、ここに書いてみます。

1　この宇宙の本質とは形にならない真空であり、この真空の中に無限の創造世界が含まれている（量子論的無）。

2　真空の中にある一つの世界の中から五感を通してこの世界を見ると、まるで一つの宇宙空間の中に一筋の時間を共有しているように見える（ニュートンの運動法則）。

3　一つの空間、一筋の時間をすべての生命が共有しているというのは五感からくる勘違

いで、実際には人間は各自、別々の時間と空間、そしてまったく異なる意識レベルの世界を生きている（アインシュタインの特殊相対性理論&リサ・ランドールの多次元論）。

4 一瞬一瞬が創造され、自分自身も無限に存在し、その一つの流れを五感を通して一人の人間として体験している（エヴェレットの多世界解釈）。

5 人間は肉体をもつと同時にビッグバン以前の真空という二つの状態を同時に生きている。そして生命は肉体が滅びても精神として、時間と空間を超えて永遠に生き続ける（ボーア量子論の相補性）。

6 自分の本質だと思われている形になるこの世界が、実は虚世界で、宇宙の集合体である何もない真空のほうが自分の本当の姿である（ホーキングの無境界論）。

7 物欲に狂った人間たちにこの真実を教え、グナナ（解脱）させ、まずビッグバン以前の無の状態にその精神を同化させ、本来の姿を悟らせ、無知から来る生きる苦しみから解放させなくてはならない。そして私がこの「人生の最後に悟る全創造世界の仕組み」を一つの教典としてこの世界に残し、その言葉を生まれ変わったすべての世界へと伝道させ、この宇宙に生息するすべての生命を真空と一体化させ、さらに如来へと育てあげる。その連鎖をすべての宇宙へ広げ、すべての生命を如来とした時、この全

宇宙は真の無に帰することになる（統一場理論の完成・神の心の成就）。

いきなりお釈迦様の悟りを語っても、まず理解はされないでしょう。しかし、この本の前半で、相対論と量子論で頭を鍛えてきた人ならばある程度は理解できるはずです。

そう、お釈迦様の悟りとは二一世紀以降、人類が取り組むべき真空の科学についての始まりだったのです。

こうしてお釈迦様は、幼少から思案していた人間の生きる苦しみの原因とは、「この宇宙の真の姿を知らず、一人ひとりがこの時空と肉体だけが自分のすべてと勘違いし、食欲、性欲、物欲に夢中になり、お金や地位や権力を貪《むさぼ》り続けることである」ということを発見したのです。そして言語や知覚では捉えることのできない真空の構造を悟り、ブッダとなったのでした。

そして、なにゆえ宇宙は生まれたのか。この疑問に対する答えは「はじめから、すべてある」というものでした。時間と空間を超えた領域において永遠に存在する真空の中にある無限の創造世界の中の一つが今、生を享け肉体を置くこの世界であるということです。

ホーキングも指摘したように、内側から見ると、まるで自分が肉体を置くこの宇宙には始まりがあり、一様に時間が流れ、一つの空間を共有し生きているように見えますが、時間の外から見ると何もない真空なのです。

そして、この真空こそすべての世界や生命を包括した状態であり、ブッダはそれを「空」と呼びました。

神の心とは何か

7番目の統一場理論の完成が目についた方が多いと思います。

これがこの本の答えであり、それは同時に全人類が求めてやまない「宇宙を成り立たせている意志、神の心」のことです。お釈迦様は菩提樹の下で悟りをひらき、人間の存在とは単なるこの肉体だけでなく、同時にビッグバンが始まる前の精神でもあるという真空のもつ相補性に気がつきました。

そしてまず、瞑想によってその存在の根本面である真空に、完全に意識を同化させることに自らが成功します。お釈迦様がアインシュタインやホーキングと違うところは、言葉によってそれを定義したり、方程式化するのではなく、瞑想によって存在の本質である真空に自己の意識を同化させてしまった点です。

この時点で時空を超えた真空、つまり神と自身の心を一つにしてしまったのです。そして生命として進化しきった自己の姿が「空」であるということを悟り、自らはもうこれ以上はないという神の心となってしまったのです。

この時点で不確定性原理も資本主義も関係ない永遠の命の実相を理解してしまったのですから、お釈迦様はその段階で完全なる進化を達成してしまったことになります。

すべての欲望から離れた静寂の境地です。もう時空をつくって生まれ変わることもありません。ＣＰ対称性の保たれた空の境地です。そして仏典によるとお釈迦様は、この時点で生命として生きていく目的を果たしてしまい、もう肉体も必要ないため自殺して、人間としてその生涯を終わりにし、原初の精神へと同化し、平安へと戻ってしまおうかと考えました。

どうせこんな宇宙の真実の姿など、物欲に狂いきった人間たちに語ったところで誰ひとりとして理解できまい——そう思ってさっさと涅槃《ねはん》に入ってしまおうと思っていたところ、そこに再三インドラ神が現れ、ブッダに粘り強くこの宇宙の真実をこの世界に説き明かすよう懇請します。そのためブッダは思いかえし、この悟りの仕組みを人々に広め、自分以外のすべての生きとし生けるものたちをもこの神の境地へと導くことを決意します。

つまり自らが苦労してこれ以上ないという生命の進化を達成し、生きながら神になってしまったにもかかわらず、一切を捨て、重い肉体を酷使し、まったくこんな真実に気づきも、気づこうともしない人間たちに、苦労を厭《いと》わずその真実を教えてくれたのです。

そのお陰で私たちのこの新しい宇宙が生まれ、その世界に仏法が広まり、お釈迦様はそのままこの宇宙の創造者として神として崇められ、その教えを記録した言葉が聖典として残っているというわけです。つまり、**自分が進化の頂点に達してしまったにもかかわらず、その仕組みを無知な人間たちに教えようとしてくれる善意を「神の心」といいます。仏法的には「慈悲」という言葉であらわします。**

「神の心」とは言葉や公式であらわせるものではなく、心の状態、境地によってのみ示されるものなのです。

「すべての生きとし生けるものたちを自分と同じ全能の神へと育ててあげよう、この宇宙の永遠の生命の真実を教えてあげようという意志が一つの精神の中に無限の世界を抱える

神の姿そのものなのです」

そしてこれを理解し実践し、再びこの世界を無に帰することがすべての終わりでもあり、同時に始まりでもあるのです。これが「悟りの境地」であり、「この宇宙の真実を人々に教えてあげよう、そして自分と同じ神に育ててあげよう」これが紛れもない「神の心」なのです。そしてそれは地上に肉体をもって生まれ如来となり、その教えを広める実践でしかありません。

お釈迦様が弟子を取り教化する生き方とは、まさに「神の心の実践」以外のなにものでもないのです。そしてこれが、宇宙が存在する原因であり目的と意味、そしてその姿そのものなのです。

宇宙を貫く唯一の法則、統一場理論とは自らが神の境地へと上り、そこから見た世界像を生きとし生けるすべてのものへと教え、悟りをひらかせ如来へと育てる。そして再び、その如来たちが各世界において弟子を育て、空を悟らせ如来とする、その無限の連鎖をつくり、再び全宇宙を平安へと戻す。如来の内面とは、一切を含む真空そのものなのです。

こうしてこの宇宙を完成させることが同時に始まりでもあり、終わりでもあり、この状態そのものがすべてを語っている神の姿、宇宙そのものなのです。

ホーキングはまさに真空のもつこの一連の仕組みを波動方程式であらわそうとしましたが、それは自らが主体としてなす行動によってしか完成しないものなのです。そして、それができる人とは、一つの時空においては数千年に一度だけ、自然の摂理によって生まれてくる如来だけだとお釈迦様は語っています。

如来って何？

この宇宙にある無限の世界にはそれぞれ、このビッグバン以前の真空に完全に意識を同化させ、なおかつ過去からの修行によって、この全創造世界の仕組みを悟る力をもって生まれた如来と呼ばれる存在がいます。いわばその人たちとは、この宇宙全体を自分の内面性の中に入れてしまった人といえます。

かつてホーキングが「この宇宙のすべてを理解した人がいたとしたならば、宇宙そのものがその人の内面性の中に入ってしまうことになるだろう」と語っていますが、まさに如来とはこの創造世界のすべてを自分の内面に入れてしまった人たちなのです。そして如来たちはその後、第5部で述べた真空の性質を縦横無尽に使い、自らのその悟りを自分が肉体をもって生まれた世界を通し、全創造世界へと広めるのです。

如来たちは各世界においてはじめは普通の人として生まれて、しばらくその世界の社会のしきたりにそって暮らしています。しかしやがて、「なにゆえこの宇宙が生まれたのか、人間の生老病死はどのレベルから生まれる法則なのか」といった形而上学的レベルの問題に目覚め、それを探求し始めます。そして、その世界にある悟りの技術を実践し自己の意識を宇宙誕生前の無の状態と同化させ、同時にそのすべてを悟ることになるのです。それが我々の世界ではかつてインドに生まれて苦難の末に悟りをひらいたシッダールタ青年、後のお釈迦様であったというわけです。

アインシュタインやホーキングやニュートンは、ここに達する技術とノウハウを見つけることはできませんでした。彼らはあくまでこの世界にある科学という範囲の公式や言語機能によって宇宙を記述できると思ってしまったのです。人間の科学の上にあるこの仏法の存在に気づかなければ、言語機能を超えた「神の心」に達することはできないのです。

お釈迦様の教え

お釈迦様の残した教えとは、いったい何でしょう。

それは、この全創造世界の構造とこの仕組みを使った新たなビッグバンの起こし方なのです。しかし、あなたもそうだと思いますが、普通の人がお釈迦様の教典を読んだとしても、そこに書いてあることがどういうことなのか、まったく理解できないと思います。菩薩がどうだとか閻浮提《えんぶだい》だとか。今の人たちにはピンとはこない言葉のオンパレードです。

しかし、この本の前半で語った通り、実はお釈迦様の言葉は、現代科学の最先端の真空とそこに内包される無限の創造世界、そしてそこになぜ新しい宇宙が生みだされたのか――この一切が、そこに語られているのです。

そして我々が生まれたこの世界とは、かつて釈迦牟尼如来《しやかむににょらい》がその弟子を通して起こしたビッグバンによって生まれた宇宙の一つであり、そのためこの世界の過去にはお釈迦様とその教えを広げる弟子たちが存在し、その教えが書籍となり我々の手に届くというわけです。

そして、かつてその教えを受けていた菩薩は、生まれ変わったこの世界において自然とそれに気がつき、今生それを学び、様々な形でこの世界に広めることになるのです。この本も、そんな一冊です。その人生そのものが、「神の心」そのものといえるのです。

お釈迦様の語るビッグバン理論

過去の善根により、この三次元に生まれた如来たちは、各世界で悟りをひらき、この宇宙の構造を理解すると、その世界の社会性や時代設定に従いながら弟子を取ります。

如来は、解脱した時点で全宇宙を自分の内面性の中に入れてしまい、完全なＣＰ対称性が保たれた状態が完成します。同時にその真空の中には無限の創造世界が存在し続けているわけです。そのまま何もしなければ、この宇宙には何も起こらなかったわけです。しかし、この対称性の保たれた真空の中にビッグバンを起こし、自らの存在する空間を通し新しい宇宙を生み出す作業が、如来の、その人生といえます。

そして弟子を取り、その一人ひとりを解脱させ、真空をつくり、さらに多くのCP対称性の保たれた状態をつくります。どんな時点においても時空とは、あくまで真空の中にある一つの宇宙であることに変わりはないのです。真空の内側のいずれかにある世界で、何が起ころうと、誰が何をしようと、ホーキングがいったように真空には始まりも終わりもありません。ずっとそのままの状態なのです。

ビレンケンは、そんな無の中にトンネル効果によって「ポッ」と私たちの宇宙が生まれたといいます。いったい無の中にあるどこの世界の何が原因で、この世界がトンネルを通って生まれてきたのでしょう。この世界はお釈迦様が身を置く宇宙において、彼が弟子たちを解脱させ、真空の状態をつくり、さらにその弟子たちを使い主体的にCP対称性を打ち破り、真空に同化した弟子たちの内面性を通し、意図的に新しいビッグバンを起こし、「ポッ」と生み出したのがこの世界なのです。こうしてこの新しい宇宙を生み出した者こそ如来なのです。

では、そのビッグバンを起こす如来の実践した方法とはいかなるものでしょう。

真空に重なり合う向こうの世界に住む如来は、その世界において優れた弟子たちを集め、まずその教育機関としてこの「真空の構造」を教えるためのサンガやアシュラムをつくり始めます。

私たちのこの世界では、お釈迦様がつくったお寺のシステムがそれに当たります。如来の教え方とはみな同じで、はじめは簡単なものから始まり徐々に難しくなります。

まず瞑想を指導し、真空と各自の意識を同化させるトレーニング方法を指導します。

そして、弟子たちがグナナ（解脱）を果たし、存在の本質にある真空と、みなの意識が同化したのを確認し、さらに如来に対し帰依《きえ》する心が確立した時、この宇宙に自らを通してできうる最大多数のＣＰ対称性の保たれた状態ができ上がります。そこにこの全創造世界の構造を巧みな喩えを使ってまとめた一つの経典の未来永劫《えいごう》の伝道を誓わせるのです。

すると、それを誓った弟子たちの内面の中から真空を通して、その「如来の教えを生まれ変わった世界において未来永劫伝える」という意志がトンネル効果により「ポッ」とこちらの宇宙を生み出すというわけです。そして、その意志が膨張し、宇宙を形成したのがこの私たちの世界というわけです。

お釈迦様のいる平行世界が過去となり、そこから弟子の伝道の意志によって生まれたこちらの世界は、その未来となるわけです。真空とは、あらゆる生命の内面性が重なりあった状態であるという仕組みを使った、まさに神の御業とはこのことなのです。この私たちの世界は、お釈迦様が意図的に同じ空間にいる弟子たちの内面性につくった真空の性質を巧みに使って平行する向こうの世界からトンネル効果を使い、こちらに生み出した宇宙だったのです。

では、その時お釈迦様が弟子たちに伝道を誓わせた経典とは、いったい何でしょう。それは、この世界ではお釈迦様の多くの教えの中で最高のものといわれる『法華経』です。なぜならそこには、お釈迦様が悟った真空の構造、精神の仕組み、ビッグバンの起こし方、宇宙の始まりから終わりにいたるプロセスのすべてが解き明かされています。この『法華経』が、アインシュタインやホーキングが求めた万物の一切が解き明かされた統一場理論の書にあたります。いわば、人間が神になり、新しい宇宙を生み出すための指南書といえるものなのです。

そして、一つの世界において、この教えの未来世における伝道を弟子たちに誓わせた後、如来はこの世を去ることになるのです。この伝道の誓いこそがビッグバンを起こした原因であり、その瞬間、ＣＰ対称性が破れ、その弟子たちは自ら新しい宇宙をその世界からトンネル効果によってこちらの世界に生み出し、そこへと生まれ変わっていくのです。

そして生まれ変わった弟子たちは、各自その世界においてその世界の過去に生きる如来の教えに気づき、学び、それを広めることになります。その教えを伝道するために自らCP対称性を破り、時空を形成し、その世界へ再び肉体をもったわけですから、その人はその世界の如来の教えを見つけ、自然とそれに惹《ひ》かれ、学び、広めはじめるというわけです。

さらに何度も生まれ変わってこの伝道を続けた後、その言葉と一体となり弟子たちもやがてブッダとなるのです。万物の法のすべて、統一場理論を体得したということです。その人は生きながら神になったということです。そしてそれが如来なのです。

では、如来が悟ったこととは何でしょう。

それはビッグバンの起こし方、新しい宇宙のつくり方です。この世界にも各時代にそれを目指し努力している菩薩たちが沢山います。それが日蓮や最澄や天台《てんだい》智顗《ちぎ》といった仏弟《ぶつで》子《し》たちです。彼らはこうした如来の

自宅の書斎で宇宙の真実について
研究するアインシュタイン

意志、つまり神の心の継承者たちなのです。

ビレンケンはCP対称性の保たれた無の中にもたくさんの世界があり、そのいずれかの平行した世界からの影響によってこちらの宇宙が起こされたことを解き明かしています。まさに無の中の別な世界から生まれた仏法を広めようという意志が、トンネル効果によってこちらの世界でビッグバンを起こし、私たちの宇宙が生み出されたのです。

なぜCP対称性が破られ、私たちの宇宙が始まったのか、なにゆえ、誰の手によって何の目的でビッグバンが起きたのか、その答えのすべてがこれであったのです。

この如来によって弟子たちに植え付けられた宇宙の一切を解き明かそうとする意志、それがビッグバンを起こした原因なのです。

私たちのこの宇宙を意図的に生み出したのは、平行世界にいる釈迦如来であり、その命令によって宇宙誕生の意志を発したのは解脱した彼の弟子のいずれかの一人です。そのため、この私たちの世界の中には過去にお釈迦様とその弟子たちが存在し、その教えが広がっているという設定があるというわけです。進化の方向性がこうしてこの世界に植え付けられているのです。

もしかすると、かつてお釈迦様に喚起され、この私たちの宇宙を生み出す意志を発した菩薩とはあなたかもしれません。あなたがかつて釈迦如来の教えを受け、自らが神となるためにその教えと一体となるため生み出した新しい宇宙がこの世界かもしれません。

如来は、すべての生命の内面性が一つに重なりあっているという構造を見事に使い、この宇宙誕生の奇跡を起こすのです。

我が弟子たちよ、如来が自分自身の完全なる悟りに達する時期に至ったことを察し、同時に弟子たちの心が清浄で世間の下らぬ欲得から完全に離れ、解脱し、真空となり、如来に帰依する心が確立し、その心が完全に無に同化したことを確認すると、如来は最後に自ら悟った完全なる宇宙像を弟子たちに語り、託し入滅するのである。そしてあなた方は生まれ変わったその世界において、自らの過去世の菩薩であった姿とその前に蓮華座を組む如来の姿とを見るのである。

『法華経』「化城《けじょう》喩品《ゆほん》」

神の心そのものの人たち

人は神であり、同時に人間である。この二つの状態を同時に生きていることが量子論の相補性でわかりました。神であるあなたとは、真空、何も認識していない状態、つまりそれはCP対称性が完全に保たれた状態であり、そしてグナナ（解脱）とは、人間のほうの視点を神であるそのなにものでもない真空のほうの視点に同化させるということもわかりました。

この状態を達成すると、お金や物欲や性欲や下らぬ社会の偏見からくる抑圧など人間の五感から受ける物質的欲望のすべての影響から解放されます。

この時点で、その意識は時空を超え、永遠の精神の安息の中に生きはじめるのです。資本主義と不確定性原理を超えてしまった状態です。この状態は人間の一切の業務から解放された境地などと聖典では語られます。

このグナナ（解脱）の状態に到達すると、意識がビッグバン以前の真空と完全に同化し、その死後、精神の完全なる進化の完成を得てもう二度と生まれ変わることはありません。

これが生命のゴールなのです。そして、これを達成した人をお釈迦様は「アラカン」という言葉であらわしました。

しかし、お釈迦様は単に解脱しアラカンとなり自分だけがこのCP対称性の保たれた天国の状態（モクシャ）に帰融しただけではいけないといいます。それどころか、この状態になってはじめて真の仏法を語れる伝道者、菩薩としての資格を得ただけだと語ります。

人間は現在、巨大な素粒子加速器によってビッグバン前の真空をつくり、そこから何かを取り出そうという実験を繰り返しています。しかし物質である加速器では、物質世界のすべてを含む真空をつくることは不可能なのです。なぜならビッグバン前の真空とは、ノイマンのいった通り意識の奥底にあるものだからです。お釈迦様が弟子を取り、それらの人たちを解脱させることこそが唯一、人工的にこの一切の世界を含む真空をつくるという作業なのです。ノイマンのいう精神の最奥《さいおう》にある言語化不能な宇宙の全体と、一人の人間の意識が同化した状態です。

アラカンとは「真空となった人」という意味があります。そしてその真空の中に同時に無限の世界があり、その世界の一つがこの世界なのです。究極の相補性といえます。その状態になってはじめて無限の世界へと自らの声を届かす力が備わったといえます。

ブッダが弟子を取り、彼らを解脱させるとは、こうした新しい宇宙を生み出すための準備作業なのです。

こうして生み出されたアラカンたちは、すでに本当は生まれ変わる必要はないのですが、ブッダの命令により、さらにこの「神の心、つまり真空の中に新たなビッグバンを起こし、新しい宇宙を生み出すこと」を実践するために再び自らの善根《ぜんこん》の力によって自己の内にあるしかるべき世界に人間として生まれ変わっていき、この真実をその世界の人々に伝える作業を開始するのです。それを「菩薩行」といいます。

過去世において如来に指導を受けた菩薩たちは、どんな世界に生まれ変わってもその世界にある如来の教え、宇宙の真実に気づくといいます。

私たちのこの世界に生まれたアインシュタインやホーキングのように、宇宙の真理という形でこの真空の存在に気づいた人たちもまぎれもなく菩薩です。

過去世でいずれかの如来の指導を受け、何度も解脱を繰り返し、この世界に縁あって生まれてきた人々なのです。

良家の息子あるいは娘で、自ら得た高い功徳を捨て、輝かしい仏国土に生まれることも顧《かえり》みず、宇宙の真実を解き明かすために、余が入滅した後に、人々の幸福のために、人々を慈しみ憐れんで、この世に現れた人は、如来の使者であると知るべきである。世間の人々を憐れんで、前世における誓願の力によって、その境遇を選ぶ力によって、この閻浮《えんぶ》提《だい》（創造世界）において人間のあいだに出現した人。この上ないこの経典（真空の科学）を語る人は、生まれ変わるに際して、その誕生の境遇を選ぶ力によって、そこに姿を現したのだ。

『法華経』「法師品《ほうしほん》」

そして、そうした人々は生まれ変わったその世界において如来の教え、そしてこの宇宙の真理の存在に気づきその教理を学び、自分の生まれた世界の人々に説き始めることになります。生まれ変わってきたこの世界において、あなたは仏典や聖典あるいは相対論や量子論に反応したでしょうか。

人生においてその人が何に反応し、のめり込んでいくかで、その人の魂のレベルと前世が簡単にわかってしまうのです。

神の心の実践者たち

ただ意識を空に同化させアラカンとなるだけではなく、神となった真空の視点からすべてを語れる菩薩として、全宇宙の構造が余すところなく解き明かされたブッダの教えを生まれ変わった全創造世界に自主的に広め、それと同時にその教えそのものと自らが一体となることによってのみ自分も如来となることができる。

如来の教えとは、アインシュタインが終生求めて、ついには辿り着くことのできなかったこの宇宙の一切を語りきる「統一場理論」のことであり、神の心と呼べる万物の法則のことです。

スティーヴン・ホーキングが生涯をかけて求めてやまない宇宙の始まりから終わりまでのすべてを記述した方程式ともいえます。

ニュートン、ニールス・ボーアやハイゼンベルク、シュレーディンガーにエヴェレット、ビレンケンやリサ・ランドール。

こうした人々もみな過去世において如来のもとで修行を重ねてきたため、彼らは生まれ変わったこの世界においても、この宇宙の真実に気づき、ただひたすらそれのみを追い求め、社会に教えてあげるという人生を送っている菩薩たちです。

まだ真空そのものについて語る力はありませんが、人類をそこへといざなう仕事をしています。どんな世界、どんな境遇に生まれ変わっても、その世界にある真理を求め探求し始め、そしてこの宇宙の本質を真空と捉え、その視点から時間と空間、光や物質といったものの性質を神の視点から研究し、社会そのものを進化させるのです。

彼らは今生、その境遇を選ぶ力によって、物理学者という世の中に受け入れられやすい地位を生まれる前から選んできていたのです。

アインシュタインは五歳の時、父親から磁石を見せられ、この宇宙を成り立たせている目に見えない法則の存在に気がつきました。これが菩薩としての人生の始まりです。

この人たちが求めたものとは、宇宙の一切を語りきる統一場理論、すなわち「神の心」です。しかし、神の心とは言葉や方程式として存在するものではなく、その人たちの生き方そのもの、つまり宇宙の真実に気づき、それを求め、自ら悟った宇宙の真実を、自分が生まれたその世界の人々に教えてあげたいという境地、その人生そのものが「神の心」のあらわれなのです。如来によって過去世にこの人たちの心に植えつけられた、この真理探求の意志、伝道の決意とその実践こそが、神の心そのものなのです。

つまり「神の心」とは、自分の外にあるものではなく、その人の心の様態・境地そのもののことなのです。そしてそれこそが、この真空と多次元世界の構造そのもの「神の姿」なのです。ですから公式や哲学を駆使しても神の心を見つけることはできません。それは一つの境地として会得して、無意識のうちに始める菩薩としての人生のことです。

全人類がアインシュタインやホーキングたちのように「ただひたすら神の心を求めるという神の心の持ち主」となった時、この世界は物質次元を超えてしまうのです。

お金や物欲や性欲といったものにまったく無頓着になり、この人たちのようにすべての人がアラカンの状態になってしまった時、この世界は次元上昇します。物質次元から精神次元へと進化するのです。一つの文明とは、如来による全人類を普通の人からアラカンへ、アラカンから菩薩へ、菩薩から如来へと育てるためのサンガ、つまり学校なのです。

地動説から始まり、天動説、万有引力、相対論から量子論への人類の進化とは、真空の科学の時代へと向かうプロセスであったのです。私たちのこの世界も、まもなく全体でアラカンとなり、いよいよ他の宇宙へと自ら行き来する時代へと入ります。これが如来をして地上で実践された人類進化の計画でした。こうした進化の流れそのものが偶然ではなく、すべて仏の意志のもと、あらかじめセットされていたものです。このように人間とは、宇宙にたまたま生まれてきた存在ではないのです。

さて、あなたはこの神のカリキュラム通り、次の段階へと進級できる人でしょうか。

さしずめアリストテレスからニュートン、アインシュタインからホーキングたちとは、この地球の上につくられた真理の学校の先生たちといえます。それをお釈迦様は「菩薩」と呼んだのです。

お釈迦様が校長先生で、アインシュタインやニュートンたちは各時代の担当教員というところでしょうか。

お釈迦様の相補性

この宇宙という精神現象を見事に言いあらわした人は、我々の文明ではお釈迦様において他にいません。この神と人間の両方が同時に成り立っている相補性のことをお釈迦様はかつて「一即多」「一念三千」「空即是色」という様々な言葉で説明しました。

しかし、ほとんど理解されることなくここまできてしまったのです。しかし近年、一即多という言葉は、コペンハーゲン派のニールス・ボーアによって量子論の相補性という電子と真空の関係性をあらわす言葉として使われました。それがまさしく、お釈迦様の使った一即多のことです。

それにしても、ニールス・ボーアという人もエライことに気がつき、その発想を現代科学にもち込んだものです。突出したその菩薩としてのセンスには恐れ入ります。アインシュタインに至っては、もう相当神に近い人といえるでしょう。そして彼らの発想がさらに進化し、さらに時代とともにその意味するところがより高度なものとなっていったのです。

エヴェレットの多世界解釈は、相補性の進化したものであり、お釈迦様の使った一念三千と同じ意味をあらわします。また、お釈迦様のつくったこの宇宙の基本的性質をあらわすもっとも有名な言葉である空即是色はあえて当てはめるならば、アインシュタインの$E=mc^2$、つまり物質とはエネルギーである、さらに踏み込んでいえば物質とは精神である、という意味をあらわします。もちろん人間も物質の一部であり、精神の一部です。

また、お釈迦様はこの全宇宙を上から見下ろす神である自分の視点を「本仏《ほんぶつ》」、人間として一つの時空の中に生きている肉体としての自分の視点を「迹仏《しゃくぶつ》」という言葉で説明しています。

お釈迦様はこの人間のもつ二つの視点、相補性について晩年、マガダ国の霊鷹山《りょうじゅせん》という所で行われた有名な説法において、弟子たちにこう語られました。

我が弟子たちよ、あなた方は今、目の前にいる釈迦牟尼《しゃかむに》如来は釈迦族の王家から出家し、ガヤーという町の外れにあるネーランジャ河のほとりにある菩提樹の下で悟りをひらき、偉大なる如来となり、そして今あなた方に教えを説いている。と、このように思っている。しかし、そうではないのだ。本物の私はこの宇宙の始まりも終わりも超えたところに存在する時間と空間といった制約すらない永遠の精神であるのだ。それは形や色、変化、言葉、概念といった思考作用では捉えることも創造することもできない存在なのである。

『法華経』「如来寿量品《じゅりょうほん》」

このような言葉で、己自身の本質が無であり無限である一つの精神であると自らの姿と性質を語っています。そして現代物理学は今、まさしくこの生命の本質である、神である方の形にならない自分の姿を探求し、それを発見することに成功しました。

それは結局人間の知性が二五〇〇年かかって辿り着いたビッグバンの前の無、つまり神の姿を捉えるに至り、同時に空について縦横無尽に語るお釈迦様の教え、仏法の入り口へと辿り着いたというだけのことなのです。

仏法とは、この神の視点から形にも言葉にもならない存在の仕組みを解き明かす学問のことなのです。言い換えると「真空の科学」といえます。

今、現在、この本を読むと難しく感じるかもしれませんが、あと三〇年もすると簡単な一般書になっていることでしょう。また、そうなることがあなたや社会が進化したということなのです。

お釈迦様が見た宇宙

お釈迦様は、この世界に生まれる前にもともと並行しているいくつもの宇宙に生まれ変わり、その人生で悟りをひらきブッダとなることを宿命として生まれてきました。

彼もその昔は動物であったり、あるいは宇宙を漂う星の欠片《かけら》であったり、あるいは修行僧であったり、あるいはその世界にある権力やお金といった物欲に満ちた世界に埋没し無駄な人生を送ってしまった一生も沢山ありました。

すべての人の内面性の中には、その人独自のこうした人生の歩みの記録が入っているのです。あなたも例外ではなく、その内面性の中には、あなたが現在そういう人間に生まれるべき情報がすべてプログラミングされていて、あなたの今生のキャラクターや時代設定、環境といったものをつくっているのです。

そしてあなたは、そのキャラクターの知性と人間性を通し、五感で感じるこの空間の中から自らの本質である自分の永遠の姿を追求するというわけです。しかし、大抵の人はそんなことなど気づかないばかりか、お金や物欲や性欲に狂って、そういう道を探求している人を馬鹿にしたりする人さえいる始末です。

しかし、お釈迦様は遠い過去世にこの宇宙に広まる如来の教えの存在に気づき、それ以後、何度も生まれ変わってはその教えを広め続け、もともと生命には実態がないこと、この宇宙そのものが自分という精神であり、その精神の中に無限にある世界の内の一つが今、生きているこの世界であること、そして人間はもともと物質ではなく永遠に生き続ける真空であるということに気がつきます。

そんなお釈迦様は生命の本質的姿である真空について、それをどのような考え方に立って人々に語るべきか、次のように語っています。

すなわち真空とは生まれず、死なず、変化せず、生ぜず、流転せず、完成せず。真実でもなければ真実でないものでもなく、存在するものでもなければ存在しないものでもなく、このようなものでもなければ別のものでもなく、偽りでもなければ偽りでないものでもなく、別のものでもなければ、そのようなものでもない。如来が創造世界を見るのは、愚かな衆が見るのとはまったく異なるのだ、如来は実にこの世界を如実に見るのであって、この点においてまったく見誤ることはない。この真理を一般の人々に説く場合、如来が様々な喩えを使ったり、人によって矛盾する表現を使い、空について語っても、その言葉はすべて真実であって偽りでなく、他のいかなるものでもない。

それはみな、この世に生まれ、色々な仕事に従事し、種々様々な意図をもってそれぞれの良心による判断に従って行動する人々に、善根を生じさせようとして、如来は種々の経説を種々の信憑《しんぴょう》すべき善根に基づいて語っている姿なのである。しかも、如来は如来がなさねばならないことを実行するのだ。いずれにせよ、「永遠の悟り」に到達した如来は、無限の寿命の長さをもち、常に存在する。

『法華経』「如来寿量品」

アインシュタイン如来

アインシュタインはその晩年、物理学の限界に気がつき、「私は生まれ変わったとしたら仏教僧になりたい」という有名な言葉を人に洩らしています。

アインシュタインは今生、この目に見える世界の背後に時空を超えた力があることに気がつき、その法則性を物理学を通して生涯、探求しました。その結果、相対論が生まれ、量子論が生まれ、さらにビッグバン理論が生まれ、この世界が真空の中にある一つの世界であることがわかりました。彼のこの「教え」はこの世界に大きな進歩を与え、人間の知性を拡大させることに成功したのです。

しかし晩年、彼は物理学では宇宙のすべてについて解き明かすことは不可能であるということにも気がつきました。そして、やはり仏教の悟りでしか、この宇宙の法則のすべてを理解することはできないと気がついたのです。

そのため、次の人生において彼はその願い通りしかるべき仏法を学びやすい家庭に生まれ、今度はその世界にある如来の残した教えに気づき、そこから如来の教えを学びはじめることになります。

そして瞑想と聖典学習により心をビッグバン以前の自分の本当の姿、真空と同化させることに成功します。そして菩薩となって、さらに生まれ変わり、何度も仏法の伝道を繰り返すことでその教えと一体となり、アインシュタイン自身が最後の未来世において、今度は宇宙の一切を悟り如来となるのです。

そして彼は如来となった世界においてその悟り、統一場理論をさらに宇宙のすべてに広めるために弟子を取り解脱させ、自己を中心とした真空をつくり、そしてその時自分の悟ったこの宇宙の一切を、喩えを使い一つの経典として弟子たちに残していきます。そして、弟子たちがアインシュタイン如来の教えの永遠の伝道を誓うとともに、新しい宇宙が次々と生まれていきます。それがアインシュタイン如来をベースとした無限の新しい宇宙が生まれる情景なのです。そして彼が生み出した各世界では、彼の残した教えを弟子たちが学び、人々に説いていています。

「神の心」を知りたいという彼の過去からの願いのすべてはここに成就するのです。なぜなら彼は、この瞬間に新しい宇宙を生み出す神の心、いえ、神そのものとなったのですから。

彼が弟子たちの内面性を通してつくった真空から新しい宇宙が生まれ、彼の悟った宇宙像は無限の世界に広がっていくのです。そして、そこから生まれた世界の過去には、必ずアインシュタイン如来と弟子たちの記録と言葉が聖典として残っているのです。

そして、その世界では、アインシュタイン如来

イギリス首相ウィンストン・チャーチル（左）とアインシュタイン

は、こう呼ばれているのです。

「神」

第6部のまとめ

●**『法華経』Ⅰ**……お釈迦様の残した多くの教典の中で最高のものといわれるもの。宇宙の誕生のすべてを語った理論書。なぜそういわれるかというと相対性理論、量子論はもとより、それらを遥かに超えた真空の法則のすべてが巧みな喩えを使って解き明かされているため、この本がホーキングやアインシュタインが求めた万物の法を語りきった統一場理論にあたります。第一四章、「従地踊出品」には、お釈迦様がビッグバンを起こす様子が見事に描かれ、第一五章の「如来寿量品」には真空のもつ永遠の生命の姿が見事に描かれています。さらに菩薩の心得から如来に成長するためのプロセス、過去世の経緯からブッダ再誕のメカニズムに至るまでが余すところなく語られています。

●**自分とは何かの答え**……自分とは真空であったのです。あなたも私も、たんなる真空であったのです。

●**真空とは何か**……何もないからあらゆるものであり、その真空が内包するあらゆるものの一つが、幸か不幸かあなたとあなたの住むこの世界というわけです。

●**時空の中から見ると**……時空の中から見ると、そこは形になる世界であり、そこから見ると、まるで一つの空間の中に等しく時間が流れ、肉体や物質世界があるように見えますが、それはたんに真空の中にある記憶の一つなのです。

●**ビッグバン**……真空の中にある形になる世界から見ると、どうしてもその空間の始まりが必要になってきます。それがビッグバンと呼ばれる空間の誕生で、別にそれが爆発である必要はありませんが、大きく膨張しているという現実は必要です。私たちのこの空間は一三八億年の光の大きさで計算されます。

●**科学が真空に行き着くと**……真空の中にある、とある世界の中の科学がその世界の中の人々の長年の努力の末、この宇宙の発祥を捉え、それを超えてすべてのものは真空であるという悟りに行き着くと、その世界はアラカンの世界となります。それはどういうことかというと、何もない真空のほうが本来の実世界で、形になる我々の世界のほうが真空の中に、ひととき映像として存在する虚世界だということがわかるということです。その世界の人々は今度はこの真空の性質を使い、別の空間に移動し他世界の生命と交流し、別の世界へと行って真空に対する考え方を研究したり分かち合ったり、さらに自分の住む世界より後れた世界へ行ってメッセージを送ったりと、今より遥かにバリエーションのある活動を開始します。それが菩薩行というもので、この世界もまもなくその段階へと入っていきます。アインシュタインの予言とはまさにこのプロセスを語っていたのです。

●**すべての人がグナナするとこの世界が仏国土になる**……二一世紀中にこの世界が真空であることが解き明かされると、この世界の人類全体がグナナ（解脱）した状態となります。すると量子テレポーテーション技術を使い別の世界を行き交う時代が始まります。真空の科学の時代とは、仏教的にはアラカンの世界と呼べるのです。宗教と科学が一つになり時間と空間を超えて人々が神の心を探究する時代です。今がその大転換期なのです。

●**神の心**……神の心とは方程式や言葉で存在するものではなくて、まさに読んで字の如くその人の心、あなた自身の心の様態・境地のことをいいます。そしてその境地がこの存在世界そのもの、真空と無限の世界の重なり合った神の姿そのものなのです。

●**物欲に狂った人間たち**……お金や物欲や性欲を満たすことだけがすべてと思い込み。宇宙の真実を蔑《ないがし》ろにする人々。

●**全宇宙は真の無に帰する**……すべての人々が悟りをひらき、進化しきってしまい、誰も何もかも形にすらなる必要がなくなった状態。

●**宇宙を貫く唯一の法**……すべての生命にこの宇宙の実相を教え、グナナさせ、さらにこの真実をすべての平行世界へと伝え、すべての生命に悟りをひらかせること。

●**統一場理論**……アインシュタインが終生求めたこの宇宙の一切を記述する理論。それがこの世界ではお釈迦様の『法華経』にあたります。この経典を生まれ変わって何度も伝道することによって体得すると、人間は最後に神となるのです。

●**如来**……一つの文明に三人が出てきて、一つの文明を使い人間全体を進化させる宇宙的指導者、三番目が文明の末期に出てきて、その世界の科学と宗教を一致させると、その世界が精神世界へと進化する。

●**意識を空に同化させグナナ（解脱）する**……科学的な行為です。

●**迹仏と本仏**……ビッグバンの始まる前の無が本仏で、その無の中にある無限の世界の一つひとつに肉体を置く如来が化身した姿が迹仏。本仏は無なので如来に化身し、あらゆる世界にこの真実を説き明かします。

●**仏法**……人間の本当の進化の道を示す理論。生命が生まれてくる目的とは、この仏法を理解し実施し、自らも神になることなのです。

●**マガダ国の霊鷹山**……お釈迦様が晩年を過ごした場所。当時の超大国マガダの首都近郊にあった山。

●**不確定性原理の破綻**……自らの実体が何もなく、時間と空間の制約もないと悟った時、すべての生命は永遠に生き続ける一つの精神であるということが理解できます。その瞬間、映像化する世界がすべて意味を失い、従って不確定性原理が消滅します。

●**五段階の教え**……お釈迦様をはじめとしたすべての如来はみな、五段階くらいに教えを分け人々を指導します。易しいものから始めて最後に全創造世界の構造をまとめた『法華経』レベルのものを人々に伝えます。

●**『法華経』Ⅱ**……清妙な言葉の織りなす喩えでつくられた統一場理論。これを生まれ変わって何度も人々は伝道すると最後は身体で体得し、その人は真空を語れる知識を得て如来になるといいます。これが「神の心とは何か」を人に教える唯一の方法なのです。

第7部

新しい世界、新しい科学、新しい宇宙像

実世界と虚世界

ホーキングは、形も時間も空間もない状態のほうを「虚世界」とし、逆にビッグバンによって始まったこの無数の空間世界の一つひとつを「実世界」と位置づけました。しかし、お釈迦様は、それは逆で形のないほうの真空のほうが生命の実体であり、その中にある無数の宇宙のほうが「虚世界」であると指摘しています。

面白いことですが、虚世界の住人であるほうの我々一人ひとりは、虚世界の仮想的存在であるにもかかわらず、自分の実体が形にならない全体、つまり真空であるということに気がつくことができます。それは、もともとあなたは人間でもなく物質でもなく、わずか八〇年足らずの寿命をこの小さな宇宙空間の中で生きるだけの、惨めな物質生命ではないからです。

ここは、あなたという時間も空間も物理的な拘束の一切ない、永遠に生き続ける精神の中に浮かんだ仮想世界の一つにすぎません。この視点からのみ、逆に真空である真実の自分の姿を発見することができるのです。

あなたは〝虚の状態でありながら、たった一つの精神である実の状態を理解することができる〟のです。これを「悟り」といいます。

一つの精神の中に存在する無数の虚世界

新しい時代の科学とは、この視点に立った真空の科学のことです。

そこでは一人ひとりが自分だけの我欲を追い求め、他人のことなどどうでもいいといった発想が消え去ります。なぜなら目に見える世界の存在は、自分を含めすべてひとときの仮象映像で、みな自分の本質である真空の一部だという発想に立つからです。

この考え方に沿って生まれた新しい科学は、一つの空間を超えて別の宇宙同士の交流へと発展します。自分の精神の中を自分の分身である友人たちと生き、進化を分かち合い、そしてさらなる別の宇宙へと旅し、そこに住むさらなる友人たちとの交流も始まるのです。

しかしお釈迦様は、それをするためには、もはや物質的な乗物は必要ないと指摘します。なぜなら、この宇宙はどこまで行ってもあなたの精神の中なのですから、心の力を使って瞬時に別世界を訪れ、瞬時にまた、再びこちらの世界に戻ってこられるといいます。とても不思議なことのように聞こえますが、実はすでに我々の世界でもこの仕組みは使われ、人間は全体でその知性を進化させ続けているのです。

この本は、私が自分の精神の中にある如来の世界へ旅し、そこからもってきた情報です。相対論はアインシュタインが真空の世界へ旅し、そこからもち帰ってきた情報です。そしてあなたも、この本を通し、何度も神の世界へと精神を通してテレポートし、そこからひらめきという形で別の世界からこちらの世界へ情報をもって帰ってきているのです。

このように人間は一人ひとり、日常、無意識に真空の中にある無限の世界への旅を繰り返しています。そして、自らを悟りへと導く気づきをこちらの世界へともって帰っているのです。

無限人のあなた

この本の中でアインシュタインという人は何人出てきたでしょう。この本を読み返して内容を思い出すごとにあなたの脳裏にその姿を現し、あなたに語りかけるアインシュタインの姿は、すでに数えきれないと思います。

しかし五感で見ると、彼は我々の世界には物理的には一人しかいませんでした。そして彼は、またすでに私たちの時代には肉体はなく、真空の世界へと戻ってしまっています。しかし彼自身がこの世界に残していった著作、その他のあらゆるメディア、ニュース、そして、アインシュタインの情報を伝えるすべての媒体を通して、それ以後、途方もない数のアインシュタインが別の平行世界からこの世界に来て、様々なことを教えてくれては、またもといた世界へと瞬時に帰っていきます。その数は彼を思い出す何億人、いえ、何兆人もの人々に、あらゆるその瞬間、あらゆるその場所で、この宇宙についての様々なことを向こうからやってきて教えてくれているのがわかります。これが無限人のあなたが、この宇宙には重なり合って存在しているということなのです。

アインシュタインは今も別な世界に生き続けていて、様々なことを求める人々に、瞬時にこちらの世界に来て教えてくれています。そしてまた、再び帰っていくのです。

しかし、そんなアインシュタインが教えてくれるのはあくまでも物理学の範囲までです。では、お釈迦様はどうでしょう。アインシュタインを遥かに超えて二五〇〇年の間、いえ、その弟子たちが生まれ変わったその世界においても教えを説いているわけですから、その数は無限であり、到底数にすらならないほどです。

無限人のお釈迦様はアインシュタインを遥かに超えて「すべての人類が空を悟り仏法に帰依するその日」まで無限の世界に無限人の姿となって生き続け、そして世界が無に帰すその日まで教え続けるのです。

では、あなたはどうでしょう。いつも怠けて屁理屈ばかり言っている人であれば、あなたの名前や存在など家族や親戚が死ねばすぐに消えてなくなってしまいます。真実に目覚め、高次元の意志に従って生きれば生きるほど人は自分の数を増やし、そして肉体を消滅させたあとも長い時間生き続けるのです。その人の悟りが高ければ高いほど、その数と寿命が莫大に増えていきます。

「神の心」と一つになった人の寿命の長さが永遠であるとは、こういう意味なのです。あなたもこの宇宙の真実に目覚め、アインシュタイン、いえ、お釈迦様のように永遠の寿命を生きてみるのはいかがでしょうか。

それが「神の心」になるということなのです。

自らが自らに語っているだけ

あなたが今いるこの世界は、いったいどこにあるのか聞かれたとしたら、あなたならどう答えるでしょう。

「真空の中にある無限の世界のうちのいずれか」

「自分という神の精神の中にある世界の一つ」

「仏の手の平の上」

「どこでもない、あるとかないとか、人間の感覚では答えられないところ」

状況や相手に応じて様々な答え方があると思いますが、そのうちの一つとして、「ここは、未来の人たちの記憶の中にある」という言い方ができます。

アインシュタインやボーアやニュートンやお釈迦様は永遠にあなたの記憶の中に生き続けていて、無限人の自分になって宇宙についての様々なことを教えてくれているのです。

今度は、あなたがそれを学び、未来の人たちにさらに進んだ宇宙の実像を教えてあげなくてはならないのです。

あなたの教えを未来へと辿っていくと、そのもっとも先の未来に生きていて、あなたの教えを聞いている者とはいったい誰でしょう。それが神と呼ばれるあなたの真の姿なのです。

そう、あなたは学べば学ぶほど、自分の本当の姿である神に向かって語りかけているのです。そして、あなたは、神に向かってこう教えてあげるのです。

「あなたは実体はなく永遠の存在である。しかし、同時に無限の世界を内に秘めた永遠の命である」と。神とは常にあなたとともにあり、あなたの言葉を聞き、あなたとともに成長し、そしてあなたが神となった時、神も自らが神であったということを悟るのです。

そう、神はあなたを通し、自分自身に語っているだけなのです。つまり「神の心とは何か」を聞いているのは神様自身、あなた自身であったのです。自らが自らに語っているだけ。

これが、この宇宙を貫くたった一つの法則である仏法、つまり「神の心」というわけです。

アインシュタインの研究室

資本主義の終焉

この本を書いている時がちょうど二〇〇九年の九月（註・旧版執筆時）です。前年のベア・スターンズ、ファニーメイ、フレディマックの立て続けの倒産、そして九月のリーマンショック以来、ニューヨーク株式市場は暴落、連鎖的に大手金融機関の経営危機を招きました。

さらにゼネラル・モーターズやクライスラーといった大企業までもが倒産するに至って、世界は大恐慌の様相さえみせています。

アメリカ国民はこの危機に際し黒人大統領を選び出し、その手腕に未来を託しました。アイスランド、ウクライナ、ハンガリーといった国々は国家破産、ドルは暴落寸前、中国は米国国債の購入を拒否しています。

ここ日本ではトヨタ、ホンダ、日立、シャープ、ＮＥＣといった日本を代表する輸出企業があっという間に一兆円規模の赤字に落ち込み、政府の税収は激減、自民党が瓦解といったありさまです。

巷《ちまた》には失業者が溢れかえり自殺者の数は三万人以上、大学卒業予定の学生たちが企業から一方的に内定取り消しの処分を受けるといった現実がここ日本でも起こっています。凶悪な事件が後を絶たず、世相は暗くなる一方で隣国の北朝鮮からは、いつ核ミサイルが飛んでくるかもわからない状態です。お釈迦様とイエスが言った一つの文明の終焉、末法の時代のありさまそのものの情景が世界で繰り広げられています。

こんな時、日本では昔流行《はや》ったマルクスの資本論やプロレタリア文学の代表作『蟹工《かにこう》船《せん》』が一部の人の間で流行するといった現象が起きています。どこかにこの社会の矛盾から起こった資本主義の崩壊を止める手だてはないものかと賢明な人たちが模索を始めたのです。しかし、そんなところには世界のこの事態を解決する手だてはまったくありません。

世界崩壊の原因

この事態を引き起こした原因は簡単です。

量子力学によって生みだされた技術革新により、コンピュータ、携帯電話、バイオチップ、ディスプレイ、燃料電池、化粧品、軍事、輸送、バイオ、通信機器、環境、エネルギー技術が全人類的に飛躍し世界を一体化させた結果、一つの国で起こった出来事が瞬時に世界の人々に知られ、また金融、株式、貿易といった分野が連動し、その中心であった米国で起こった金融不祥事があっという間に世界の経済の仕組みを崩壊させてしまったのです。

米国の一部の業者がサブプライムローンという回収不能な不動産融資債権を投資商品に混ぜて世界の金融機関に販売しました。一部の悪い人たちがこうなることがわかっていながらも、「発覚する間に売り抜き、莫大な資産を築いてしまえば他人が破産しようと世の中がおかしくなろうと関係ない。自分と家族が一生困らないお金さえ儲けてしまえば他人のことなどどうでもいい」と考えたからです。

まさに資本主義と不確定性原理が、平行して存在しているもっとも悪い世界へと、この世界をつなげてしまったというわけです。

こういう悪い思考を抱かせるシステムがこの世界にはできてしまっているのです。それが資本主義で、そのもとにあるものが不確定性原理というわけです。

回収不可能な債権が米国の巨大企業を瞬く間に潰し信用不安を引き起こし、債権、株式市場が崩壊、それが各国に飛び火し、世界経済を直撃し企業社会の根底が崩れ、一夜にして世界大恐慌の様相に一変してしまいました。

その人たちがこんなことをした原因とはなんでしょう。

一つは不確定性原理から来る未来がわからないという恐怖感、そしてその恐怖感をお金を集めることで誤魔化《ごまか》そうとする人間の弱さ、その弱さをこうした全世界的経済恐慌という形に派生させてしまうグローバル化した資本主義というシステム、この三つが不運にも連動してしまった結果がこういうとんでもない事態を引き起こしてしまったのです。

その人たちが心に強くもつ未来に対する恐怖心、恐れが資本主義というシステムを通して巨大化し、世界の人々を覆ってしまったというわけです。

不況により仕事を失い、生活が成り立たなくなった人たち、その人生に対する不安や失望などが直接的な原因となり、ここ日本でも自殺に追い込まれる人がいます。

考えてみると自殺という行動も量子力学的行為で、一つの時空から別の時空へと逃避をはかるという現象に他なりません。あるいは凄惨なる量子テレポーテーションといえます。しかし、ろくな世界には移動できません。

理想の国へのプロセス

では、解決策は何かというと、それは実に簡単です。

この本に書かれているアインシュタインの神の国へのプロセスを理解することです。それが現代の人々を苦しめ、悪い思考を想起させ、社会を間違った方向へと進める不確定性原理と資本主義に支配された世界を「神の心へと向かう真空の科学の世界」へと変えていく唯一の道です。

それは予言ではなく、実は神が彼をして人類に示した正しい未来への道、方向性と呼べるものなのです。

アインシュタインが教えてくれた人類が理想の世界へ辿り着くために気づかなくてはならない四つのステップ

1　人間は本来、実態のない真空である。

2　それはビッグバンの始まる前の真空である。その次元においては、すべての世界、生命は一つである。

3　やがてその真空の中にある世界を自由に量子テレポーテーションし、情報交換する時代が来る。

4　そして生命全体が協力し、差別や恐怖に打ち勝ち、平和で平等な社会を人間はこの世につくりあげることができる。それを神の心の実現した世界という。

それは、取りも直さずこの世界のそのものが、かつてのお釈迦様の言葉の通りに進んでいくということです。まずは自分たちには実態がないということを瞑想で悟るところから第一歩が始まります。

時間と空間を超えた並行宇宙に存在するすべての生命たちとは、その意識の根底にある精神において一つのものであり、それがビッグバンの始まる前の真空であり、この世界とはそのうちの一つである。そしてこの世界の過去も未来もそのうちにある一つの世界であり、みな根底ではつながり合っている。

すでに私たちの世界でも、ＬＨＣ（大型ハドロン衝突型加速器）によってビッグバン直後の宇宙を再現するということまでが可能になっています。人類が現在の核の時代から真空を支配し、平行世界をテレポーテーションする時代は目の前です。決して未来を悲観することはありません。その恐れがまた、あなたとこの世界を悪い未来へとつなげてしまうのです。アインシュタインは物理学を通し、聖者として素晴らしい未来世界へとこの世界がつながるための方向性を示してくれていたのです。

第7部のまとめ

●**お金**……現代では物の交換手段としてお金があるのではなく、お金のために物、家、それどころか人間の人生そのものがあるように思われています。

●**資本主義**……お金の交換によって成り立つ社会。金持ちと貧者という二つの階級がこの世界に生まれた。

●**世界大恐慌**……お金の社会に生まれるレバレッジの急激な低下によって起こる金融のショック状態。

●**リーマンショック**……二〇〇八年に起こった米国金融恐怖のシンボル的な言葉。米国投資銀行リーマン・ブラザーズの破綻を示します。

●**金融機関**……銀行、証券、投資銀行など資本主義社会の中でお金の投資流通をはかる機関。

●**一部の悪い人たち**……法律の裏をかくほどの悪知恵に長《た》けた人たち。

●**資産**……剰余価値の蓄積された形。金持ちの証。

●**一生、困らないお金**……現在なら三億円といったところか。他人の不幸も顧みず、誰もがため込んでみたい金額。大体、三億円あれば平均的な日本人は一生暮らせると思っています。ちなみに米国のロックフェラー家の資産は四五〇〇兆円といわれています（日本のGDPは年四七〇兆円〈二〇〇九年〉）。

●**他人のことなどどうでもいい**……資本主義の世界を勝ち抜くためのもっとも一般的な思考。

●**悪い思考**……「宇宙とは何か、神とは何か」、これ以外はみな悪い思考なのです。

●**悪い思考を抱かせるシステムが、この世界にはできてしまっている**……資本主義に洗脳されてしまった現代世界とその仕組みを指します。

●**理想の国へのプロセス**……まず、このプロセスが存在していることに気がつくことが大切です。

●真空の科学を追究する時代……すべては空即是色なのです。

●未来に対する恐怖心……不確定性原理から生まれる未来への恐怖。

●終末の世界崩壊予言……イエス、お釈迦様など多くの世界宗教の教祖たちが一つの文明の終焉期に訪れると予言している文明崩壊のありさま。

●マルクスの夢見た理想の世界……マルクスは、最後にこの世は革命によって共産主義世界へと変わり、その進化の最終ゴールへと到達する、と予言しました。しかしその予言は見事に外れました。彼のつくったイデオロギーは、平等とは逆の独裁国家を次々とこの地球上に誕生させる結果となったことは記憶に新しいところです。彼の理想の国・原始共産制国家では住民はすべて平等であり、個人は私有財産をもつことなく幸せの中に暮らすといいます。しかし考えてみると、物質的価値をベースに構築するイデオロギー社会ではそれは成立しません。本当のユートピアとは、共産主義革命ではなく、この本で示した精神革命の後、訪れることになります。かつてのお釈迦様のサンガの住人は一つのお椀と一組の衣のみを所有し、労働自体が存在せず、さらに階級が存在せず、自然、霊的進化の優れた者がその指導的役割を自主的に担っていました。地上においてブッダサンガのみが、階級も私有財産もない平等な社会であったのです。皮肉にもマルクスの理想のユートピア像は、物質世界ではなく彼が否定した仏のサンガの中に存在したのです。

全体のまとめ

二〇〇八年、スイスにある欧州原子核研究機構（CERN《セルン》）の巨大素粒子加速器が稼働し実験を始めようとした時、折しも奇妙な訴えが起こされました。

それは、

「巨大加速器によって宇宙が始まる前の真空がつくられてしまうと、その真空の中にこの地球や我々の宇宙そのものが引きずり込まれてしまい消滅してしまうので、即刻、実験を停止せよ！」

というものでした。

巨大加速器によって人工的につくられた真空に、私たちの住むこの宇宙空間そのものが吸い込まれ世界ごと消滅してしまう……。この本をここまで読んできた人であれば思わず苦笑してしまうエピソードですが、しかし、この主張をした人たちは良いポイントを突いていますし、よく宇宙について勉強をしています。

もしも私たちの宇宙を生みだす程のエネルギーを内に秘めた真空を人工的につくろうと

思えば、それを生み出すための加速器の規模は太陽系銀河を超えるサイズのものになるといわれています。

何はともあれ、そんな大きな加速器は今後も人間にはつくれないので、私たちの宇宙が人災によって終焉を迎えるというなんとも愚かな終末だけは人類は避けることができそうです。

実際には宇宙を生みだすほどの巨大なエネルギーをもった真空を生みだす方法は、一つしかないのです。それがお釈迦様がしたことで、まず弟子を取り瞑想させ、その意識を人間の内面の一番奥にある真空へと同化させることです。つまり人をグナナ（解脱）させるということが、新しい宇宙を生みだすほどの力をもった真空をつくりだす唯一の方法なのです。

するとグナナした人の内面性、つまり真空の中に、この宇宙のすべてが含まれてしまうのです。お釈迦様はこれを知っていて、弟子たちにまず瞑想を指導しました。解脱するとは、宇宙を自分の内面性の中に入れてしまうということなのです。

あるいはこれは巨大加速器によって真空をつくり、この宇宙を吸収してしまうことより大変なことかもしれません。

しかしお釈迦様は、辛抱強く弟子たちを教化し、自らに帰依させ、そしてグナナさせ、一人ひとりの内面性に宇宙を吸収させ、人工的に真空の状態をつくった後、各弟子たちの内面性の、その真空の中にある全創造世界に向かって、自らの言葉の未来永劫にわたる伝道を誓わせたのでした。その瞬間、何もない真空の中からすべてを照らす光、つまり英知、あなたという意識が生まれたのです。

それがあなたの認識の始まりであり、思考の生まれた原因です。お釈迦様の「生まれ変わったあらゆる世界において法華経を永遠に語り続けよ！」という言葉に対する誓いの意志が、対称性の保たれたあなたの真空の中にビッグバンを起こし、新しい宇宙へと膨らんでいき、この私たちの住む空間が生まれました。

ここは、あなたの意識の中にある世界であり、お釈迦様の命令によって生まれた宇宙なのです。そのため、この世界の過去にはお釈迦様とその弟子たちが存在し、その教えが広がり、しかも一切の物欲を捨て、その教えを今も研究し世に広めている人たちがいるのです。

ここはまぎれもなく、お釈迦様がかつてその弟子たちの内面にある真空を使って、意図的に生みだした宇宙の一つであり、そのうちのいずれかの弟子が『法華経』を学ぶために生みだした世界なのです。

もしかすると、それは過去世のあなたかもしれません。なぜなら、こんな本を最後まで読み通してしまったのですから。

私はただ、
「神の心」が知りたかっただけなのです……。

〈著者紹介〉

小宮光二（こみや・こうじ）

『KoJi,s DeepMax』『人間を越えた人のためのチャンネル』といった動画サイトを主宰するYouTuber。著書多数。
料理から盆栽いじり、コミックからロックンロール、国際政治経済から金融軍事、都市伝説から世界の虚構、相対量子論から統一場理論、量子テレポーテーションから平行世界移動、魔界から天界、神々の世界から仏の悟り、ビッグバンの起こし方から宇宙の完成に至るまで、地球と全創造世界を構成するサブカルチャーからメインカルチャーに至るまで造詣が深い。
趣味は『育毛』、好きな言葉は『無生法認』。『悟りのゲームを始めるために３次元の時空の中に肉体を持つまで世界は存在しない』という物理学者ハイゼンベルクの言葉が口癖。飼っている猫は『サビ猫』、好きな食べ物は『恵 megumi ヨーグルト』。

YouTube

『KoJi,s DeepMax』

『人間を越えた人のためのチャンネル』

装丁／冨澤 崇（EBranch）
制作協力／PHPエディターズ・グループ
校正協力／あきやま貴子
編集担当／小田実紀

本書のご注文、内容に関するお問い合わせは
Clover 出版あてにお願い申し上げます。

釈迦が語る宇宙の始まり

初版１刷発行 ● 2021年11月19日

著者
小宮《こみや》 光二《こうじ》

発行者
小田 実紀

発行所
株式会社Clover出版
〒101-0051 東京都千代田区神田神保町3丁目27番地8 三輪ビル5階
Tel.03(6910)0605 Fax.03(6910)0606 http://cloverpub.jp

印刷所
日経印刷株式会社

ISBN978-4-86734-043-1 C0011